Korean Society of Gynecologic Oncology

부인종양학

Gynecologic Oncology

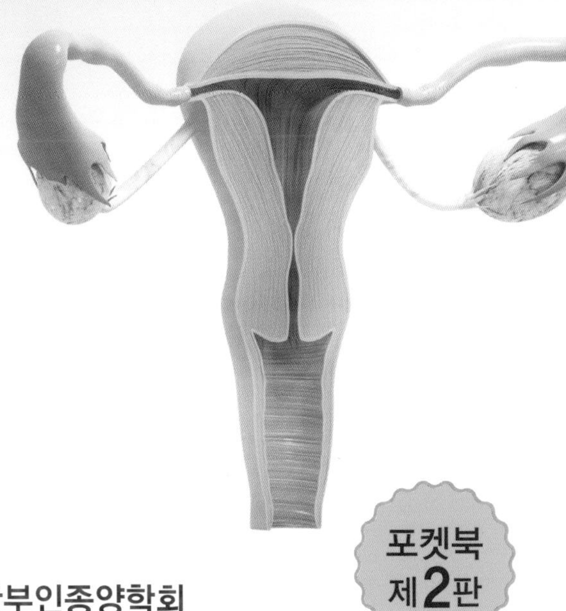

포켓북
제2판

대한부인종양학회
Korean Society of Gynecologic Oncology

Gynecologic Oncology

부인종양학 포켓북

첫째판 1쇄 발행 | 2020년 6월 15일
둘째판 1쇄 인쇄 | 2022년 10월 21일
둘째판 1쇄 발행 | 2022년 11월 1일

지 은 이 대한부인종양학회
발 행 인 장주연
출판기획 최준호
책임편집 이다영
편집디자인 조원배
표지디자인 김재욱
일러스트 김경열
제작담당 이순호
발 행 처 군자출판사(주)
등록 제4-139호(1991. 6. 24)
본사 (10881) **파주출판단지** 경기도 파주시 회동길 338(서패동 474-1)
전화 (031) 943-1888 팩스 (031) 955-9545
홈페이지 | www.koonja.co.kr

ISBN 979-11-5955-937-2

정가 30,000원

AUTHOR 저자명단

부인종양학 포켓북 집필진

책임저자

민 경 진 고려대학교 의과대학 산부인과
박 성 택 한림대학교 의과대학 산부인과
배 재 만 한양대학교 의과대학 산부인과
오 영 택 강원대학교 의과대학 산부인과
이 용 석 가톨릭대학교 의과대학 산부인과
이 유 영 성균관대학교 의과대학 산부인과
이 재 관 고려대학교 의과대학 산부인과
이 채 형 동국대학교 의과대학 산부인과
이 택 상 서울대학교 의과대학 산부인과
전 섭 순천향대학교 의과대학 산부인과
정 수 영 한림대학교 의과대학 산부인과
최 민 철 차의과학대학교 산부인과

PREFACE 부인종양학 포켓북 제2판 머리말

부인종양학은 암을 다루는 학문으로 특히 여성을 치료해야 하는 전문분야로 선진국에서는 일찍이 독립적으로 발전을 거듭해왔습니다. 국내에서는 1985년 대한콜포스코피 • 자궁경부병리학회가 처음으로 창립되었으며 1992년에는 대한부인종양 • 콜포스코피학회로 개칭이 되면서 연구 활동이 왕성하게 진행되었습니다. 이에 1996년 제1판 부인종양학 교과서가 많은 교수님들의 노력으로 편찬이 되었습니다. 그 후 부인종양학을 전공하는 여러 선생님들께서 개정판 교과서가 필요하다는 의견에 2020년 제2판 개정판 부인종양교과서가 출판되었습니다.

한편 임상 현장에서 신속하고 간편하게 사용할 수 있는 포켓북 제작도 필요하다는 의견에 따라 2020년 제1판 포켓북이 발간되었습니다. 교과서 발간에는 많은 교수님이 참여하여 방대하고 다양한 부인종양학 지식을 개편해야 되므로 출판에 많은 시간이 필요합니다. 그러나 급속히 변화하는 부인암 지식을 그림과 표, 흐름도 등을 위주로 기술하여 임상 현장에서 적극적으로 활용할 수 있도록 하는 포켓북 제작은 매우 중요합니다. 그러므로 제2판 부인종양학 포켓북에서는 새로운 최신지식이 소개되고 있는 다양한 항암화학요법과 표적치료, 면역치료에 관한 내용을 신속히 개제하였고 또한 부인암 수술을 진행하는 수술동의서 부분도 새로이 삽입하여 진료현장에서 효과적으로 사용될 수 있도록 출간되게 되었습니다.

비교적 짧은 기간에 방대한 부인종양학 분야의 지식을 신속하게 포켓북으로 발간하였기에 다소 내용에 미흡한 점도 있겠습니다. 앞으로 2년마다 정기적인 개정판 작업을 통해 더욱 훌륭한 부인종양학 포켓북이 만들어지길 기원합니다..

제2판 부인종양학 포켓북을 출판할 수 있도록 최선을 다해 집필해 주신 여러 교수님들과 특히 기획위원회 이재관 위원장님과 포켓북을 출판할 수 있도록 수고해주신 학회 관계자분들께도 감사드립니다.

2022년 10월

대한부인종양학회 회장 김 영 태

CONTENTS 목차

SECTION 1 난소 및 자궁부속기

SECTION 2 자궁경부

SECTION 3 자궁체부

SECTION 4 질과 외음

SECTION 5 임신 관련 종양

SECTION 6 항암화학요법과 표적, 면역 치료

SECTION 7 수술 전후 관리

SECTION 8 완화의료

SECTION 9 항암제 심평원 공고안

SECTION 10 부인암 수술동의서

1
SECTION

난소 및 자궁부속기

1. 골반내 종괴의 정밀 검사(Work up of adnexal mass)

악성종양이 의심되는 자궁부속기 종괴의 경우에는 수술적 치료가 필요하며(표 1-1), 난소암 치료가 가능한 부인종양전문의에게 의뢰해야 한다. 미국산부인과학회와 미국부인종양학회에서는 자궁부속기 종괴에 대해 난소암이 의심되어 부인종양전문의에게 의뢰해야 하는 경우를 모아 진료 지침을 제시하였다(표 1-2).[1]

표 1-1. 골반 종괴를 가진 환자에서 악성을 의심하는 초음파 소견

고에코성이 아닌 종종 결절 및 유두상의 고형성분 두꺼운 격막(>2–3 mm) 색채/출력 도플러초음파에서 혈류를 보이는 고형성분 복수(폐경기 여성에서의 복강내 체액이나 폐경전 여성에서의 소량보다 많은 복강내 체액은 비정상 소견이다.) 복막 종괴, 확대된 임파선, 또는 장의 유착

표 1-2. 자궁부속기 종괴에 대한 부인종양전문의 의뢰 진료지침

50세 미만의 폐경 전 여성
1. CA125 수치의 과도한 상승 2. 악성 종양이 의심되는 초음파 소견 3. 결절이 있거나 고정된 골반 종괴 4. 복강내 또는 원거리 전이 (진찰소견 또는 영상 검사에 기반함) 5. 유방암 또는 난소암의 가족력(1촌)

50세 이상의 폐경 후 여성
1. CA125 수치 상승 2. 악성 종양이 의심되는 초음파 소견 3. 결절이 있거나 고정된 골반 종괴 4. 복강내 또는 원거리 전이 5. 유방암 또는 난소암의 가족력
공통사항
Multivariate index assay, risk of malignancy index (RMI), 또는 Risk of Ovarian Malignancy Algorithm (ROMA)과 같은 위험도 평가 지표 상승된 여성 International Ovarian Tumor Analysis group에서 제시된 초음파 기반 점수 시스템에서 위험도 상승된 여성

2. 난소암의 병기설정(Staging of ovarian cancer)

A. 병기설정술

i. 세포학적 평가를 위한 복강 혹은 골반내의 복수 혹은 체액을 확보한다.

ii. 난소의 종양은 가능한 터뜨리지 않고 제거한다.

iii. 모든 복막표면과 장기표면 들을 체계적으로 관찰. 맹장으로부터 상행결장을 따라 오른쪽 신장, 횡경막 아래, 간과 담낭, 대동맥림프절 부위와 하행결장과 직장, Treitz 인대와 소장과 장간막을 모두 검사한다.

iv. 의심스러운 부위와 유착은 조직검사 시행하고, 전이의 증거가 없다면 임의로 여러 부위에 조직검사를 시행한다.

v. 대망절제술은 대망을 횡결장으로부터 절제하고 대망 아래 부분부터 시작한다.

vi. 골반 림프절 전절제술을 시행하여 미세 전이를 확인한다.

vii. 대동맥주변의 확대된 림프절을 제거해야 하고 적어도 하부 장간막동맥부위(IMA)까지는 림프절절제술을 시행하여야 한다.

B. 난소암, 난관암 및 일차성 복막암의 병기

FIGO 병기 체계(표 1-3)는 수술 시 발견된 소견과 최종 조직병리 결과에 따르며, 수술 전 영상 검사 등을 통해 복강 이외에 전이 존재를 파악하여 병기 결정의 자료로 이용할 수 있다.

표 1-3 **난소암, 난관암 및 일차성 복막암의 병기 시스템(FIGO)**

I	난소 또는 난관에 국한된 종양
IA	일측 난소(난관)에 국한, 난소표면에 종양이 없고 피막이 깨끗하며 복강내 세척에서 음성
1B	양측 난소(난관)에 국한, 난소표면에 종양이 없고 피막이 깨끗하며 복강내 세척에서 음성
IC	일측 또는 양측 난소(난관)에 종양 있으면서 다음과 같을 때 1C1: 수술 중 피막 파열 1C2: 수술 전 피막 파열되어 있거나 난소(난관)표면에 종양이 있는 경우 1C3: 복수 혹은 복강세척액에서 악성 세포 있을 때
II	골반내 파급(pelvic brim 아래)을 동반한 일측 또는 양측 난소(난관) 종양, 복막암
IIA	자궁 혹은 난관(난소)으로 파급 또는 전이
IIB	다른 골반내 조직으로 파급
III	일측 또는 양측 난소(난관), 일차성 복막암이 골반을 넘어 복막으로 전이 혹은 후복막 림프절 전이가 세포학적 혹은 조직학적으로 확인된 경우
IIIA	후복막 림프절 전이가 있거나, 골반을 넘어선 현미경적 복막전이가 있는 경우
IIIA1	후복막 림프절 전이만 있는 경우
IIIA1(i)	전이종양 크기 장경 ≤10 mm
IIIA1(ii)	전이종양 크기 장경 〉10 mm
IIIA2	골반을 넘어선 현미경적 복막전이가 있는 경우(후복막 림프절전이와는 무관)
IIIB	골반을 넘어선 육안적 복막전이 ≤2 cm(후복막 림프절전이와는 무관)
IIIC	골반을 넘어선 육안적 복막전이 〉2 cm(후복막 림프절전이와는 무관)
IV	원격전이 된 경우
IVA	흉막삼출액에서 악성 세포 확인된 경우
IVB	복강외 장기로 전이된 경우(서혜부 림프절 전이와 복강외 림프절 전이 포함), 간 실질전이, 비장 실질전이 전이가 있는 경우

3. 상피성 난소암의 처치(Management of epithelial ovarian cancer)

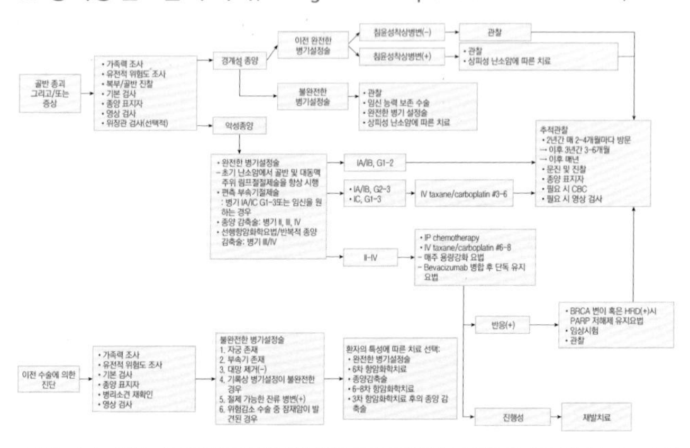

■ 그림 1-1. 상피성 난소암의 진료권고안 (대한부인종양학회 부인암 진료권고안 Version 4.0)

A. 조직학(Histology)

표 1-4 상피성 난소암의 조직학적 분류 및 특징

		발생부위	진단 병기	예후	변이 유전자
Type I	저등급 장액성 암	난관	진행성	우수	KRAS, BRAF, NRAS, USP9X, EIF1AX
	자궁내막양/투명세포 암	자궁내막증	초기	우수	PTEN, PIK3CA, CTNNB1 (β-catenin), ARID1A, PPP2R1A
	점액성 암	불명확	초기	우수	KRAS, HER-2/neu, TP53, CDKN2A
Type II	고등급 장액성 암	난관	진행성	불량	TP53, BRCA1, BRCA2, NF1, CCNE1, RB1, PIK3CA, PTEN, HRR genes

i. 난소암 1기에서 점액성 암은 좋은 예후를 보인다.

ii. 진행성 난소암에서 점액성 암과 투명세포암 항암화학요법 저항성

으로 인해 전체 생존율은 각각 15개월, 29개월로 점액성 선암 45개월보다 불량한 예후를 보였다.[2]

iii. **경계성 난소종양**(Borderline ovarian tumor)

① 악성세포변형을 보이지만 침윤이 없어 재발과 전이가 드물어 양호한 예후를 보인다.

② 서구에서는 장액성이 많지만 아시아에서는 점액성이 대략 70%로 더 많은 것으로 보고되고 있다.

- 미세유두상돌기양식(Micropapaillary): 약 10%에서 발견. 양측 난소표층 침범 및 난소 외 지역 병변과 연관성이 높다.[14]
- 기질 미세침윤(Stromal microinvasion): 전체 예후는 양호하지만, 장액성 경계성 난소암과 저등급 난소암의 연결고리이며 초기 침윤 형태로 생각된다.
- 난소외 병변: 장액성 경계성 난소암의 약 30-40%가 골반, 복강, 림프절에 병변이 존재한다.

③ 점액성 종양

- 위장관 형태(gastrointestinal type)
- 뮐러관 형태(Mullerian type)

④ 가임력 보존을 원하는 경우 일측성 부속기절제술만 시행하는 보존적 수술을 고려할 수 있다. 수술 후 보조 항암화학요법 또는 방사선 치료가 생존율을 향상시킨다는 연구결과는 없다.

B. 치료(Management)

i. **초기 난소암에서의 병기설정술**

난소에 국한된 것으로 보이는 경우라도 철저한 병기설정수술을 통해 약 18-30%의 환자에서 숨겨진 골반외 병소를 찾아낼 수 있다.

ii. **진행성 난소암에서의 종양감축술**(Cytoreductive surgery)

① 적절한 종양감축의 기준은 잔류종양이 없는 상태(no gross residual

disease)이다.

② 종양감축술의 이론적 근거

- 종양절제에 의한 직접적인 효과
- 종양 재관류(tumor perfusion)증가
- 종양의 성장분획(growth fraction) 증가

iii. **선행항암화학요법**(Neoadjuvant chemotherapy) **및 간격 종양감축술**(Interval debulking surgery)

① 진행성 난소암 환자에서 모든 종양을 한번에 완전 절제를 할 수 없다고 판단되는 경우나 환자가 수술적 치료를 받기 어려운 내과적 문제가 있는 상황에서 고려할 수 있다.[3]

② 일차적 종양 감축술과 비교하였을 때 생존율은 유사하고 선행항암화학요법 군에서 수술 합병증이 낮은 것으로 보고하였다.[4,5]

iv. **가임력보존수술**(Fertility-saving surgery)

① 분화도가 좋거나(well-differentiated) 혹은 저등급의 병기 IA인 경우 가임력 보존 수술을 원하면 반대편 난소와 자궁을 보존할 수 있다.[6]

v. **전신 치료**(Systemic treatment)

① 보조항암화학요법

- 초기 난소암이지만 고등급(early stage, high grade)이거나 진행성 난소암에서 보조항암화학요법이 권유된다(표 1-5).

표 1-5. Regimens of primary adjuvant chemotherapy

Preferred regimens:
1. Paclitaxel 175 mg/m^2 IV over 3 hours followed by carboplatin AUC 5 – 6 IV over 1 hour Day 1. Repeat every 3 weeks x 6 cycles.
2. Paclitaxel 135 mg/m^2 IV continuous infusion over 3 or 24 h 3Day 1; cisplatin 75 – 100 mg/m^2 IP, Day 2 after IV paclitaxel; paclitaxel 60 mg/m^2 IP Day 8. Repeat every 3 weeks x 6 cycles. (GOG 172 regimen or modified regimen) Cf) Intraperitoneal cisplatin could be infused by intravenous route after bowel surgery, especially left colon surgery
3. Dose-dense paclitaxel 80 mg/m^2 IV over 1 hour Days 1, 8, and 15 followed by carboplatin AUC 5 – 6 IV over 1 hour Day 1. Repeat every 3 weeks x 6 cycles.
4. Paclitaxel 60 mg/m^2 IV over 1 hour followed by carboplatin AUC 2 IV over 30 minutes. Weekly for 18 weeks.
5. Docetaxel 60 – 75 mg/m^2 IV over 1 hour followed by carboplatin AUC 5 – 6 IV over 1 hour Day 1. Repeat every 3 weeks x 6 cycles.
6. Bevacizumab-containing regimens per ICON-7 and GOG-218: Paclitaxel 175 mg/m^2 IV over 3 hours followed by carboplatin AUC 5 – 6 IV over 1 hour, and bevacizumab 7.5 mg/kg IV over 30 – 90 minutes Day 1. Repeat every 3 weeks x 5 – 6 cycles. Continue bevacizumab for up to 12 additional cycles. (category 3) or Paclitaxel 175 mg/m^2 IV over 3 hours followed by carboplatin AUC 6 IV over 1-hour Day 1. Repeat every 3 weeks x 6 cycles. Starting Day 1 of cycle 2, give bevacizumab 15 mg/kg IV over 30–90 minutes every 3 weeks for up to 22 cycles

② 복강내 투여 항암화학요법(Intraperitoneal chemotherapy)

- 잔존종양이 1 cm 이하인 진행성 난소암 환자에서 고려해 볼 수 있다.[7]

③ 혈관신생억제제(bevacizumab)

- 1차 종양감축술 후 잔류 종양이 1 cm 이상인 III–IV 병기의 sub-optimal 환자에서 기존의 표준항암화학요법에 혈관신생억제제인 베바시주맙 병합 및 유지 요법을 사용할 경우 무진행 생존율과 전체 생존율 중앙값의 증가를 보였다.[8,9]

④ 고열 복강내 항암화학요법(Hyperthermic intraperitoneal chemotherapy, HIPEC)

⑤ PARP (poly ADP-ribose polymerase) 억제제

- BRCA pathologic variant 또는 HRD가 있는 상피성 난소암 환자에

서 수술 및 일차 항암화학요법 이후 반응을 보인 경우 PARP 억제제(olaparib, niraparib, veliparib) 유지요법은 무진행생존율을 향상시키므로, 사용을 권고한다.[10]

C. 재발 감시 및 경과 관찰(Surveillance and follow up)

i. 종양표지자인 혈중 CA125가 치료 시작 전 상승되어 있었던 환자의 경우 항암화학요법 중 재발에 대한 평가에 사용할 수 있다(표 1-6).

ii. 흉부/복부/골반 CT, PET/CT와 흉부 x-ray와 같은 영상 검사는 임상적으로 필요 시 검사할 수 있다.

표 1-6 일차 치료 이후 질병 진행의 정의(Gynecologic Cancer Intergroup)

	Patients group (definitions below)		
	A	B	C
Measurable/ nonmeasurable disease	Compared to baseline (or lowest sum while on study if less than baseline), a 20% increase in sum of longest diameters (RECIST definition) or Any new lesions (measurable or nonmeasurable) Date PD: date of documentation of increase or new lesions		
	And/or		
	A	B	C
CA-125	CA-125≥2×UNL documented two occasions* Date PD: first date of the CA-125 elevation to ≥2 ×UNL	CA-125≥2×nadir value on two occasions* Date PD: first date of the CA-125 elevation to ≥2 ×nadir value	As for A

UNL; upper normal limit, PD; Progressive disease
A; Patients with elevated CA-125 pretreatment and normalization of CA-125 (~60% of all new patients)
B; Patients with elevated CA-125 pretreatment, which never normalizes (~30% of all new patients)
C; Patients with CA-125 in normal range pretreatment (~10% of all new patients)
* Repeat CA-125 anytime, but normally not less than 1 week after the first elevated level. CA-125 level sampled within 4 weeks after surgery, paracentesis, or administration of mouse antibodies should not be taken into account

4. 재발성 질환(Recurrent disease)

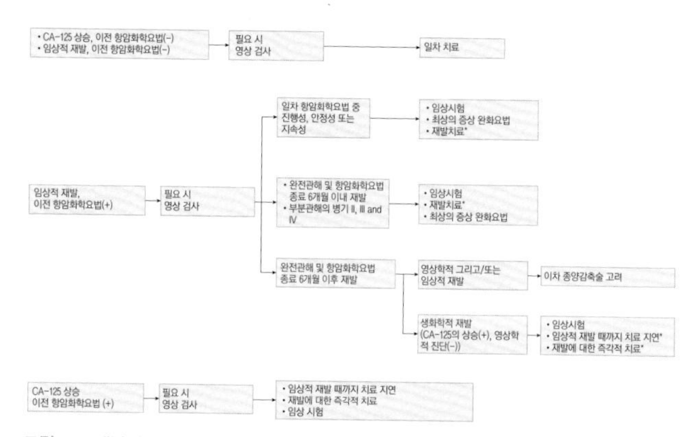

그림 1-2. 재발성 상피성 난소암의 치료(대한부인종양학회 부인암 진료권고안 Version 4.0)

A. 이차 종양감축술(Secondary cytoreductive surgery)

무진행생존기간이 12개월 이상인 백금 민감성 재발성 난소암의 치료에서 완전 혹은 적절한 종양감축술이 이루어질 경우 그렇지 않은 경우에 비하여 전체 생존율 향상을 보였고, 항암치료 단독에 비하여 전체 생존율 향상을 가져오는 것으로 알려졌다.[11-14]

B. 전신 치료(Systemic treatment)

i. 백금민감성(Platinum-sensitive) 재발성 난소암

① 백금기반항암요법이 종료된 후 6개월 이상 지나서 재발한 경우이다.

② 항암화학요법: 백금기반항암제 병합요법이 백금항암제 단독요법보다 반응률과 무진행 생존율의 향상을 보였다.[15] 흔히 선택되는 병합요법은 파클리탁셀 + 카보플라틴, 페길화 리포좀 독소루비신(pegylated liposomal doxorubicin) + 카보플라틴, 도세탁셀 + 카보플라틴 등의 병합요법이다.

③ 표적치료

- 혈관신생억제제: 파클리탁셀 + 카보플라틴 + 베바시주맙(Paclitaxel + carboplatin + bevacizumab) 병합요법에서 무진행 생존율과 전체 생존율의 향상이 보고되었고, 젬시타빈 + 카보플라틴 + 베바시주맙(gemcitabine +carboplatin + bevacizumab) 병합요법에서 무진행 생존율의 향상이 있어 현재 사용되고 있다.[16,17] 세디라닙(Cediranib)은 무진행 생존율의 향상이 보고되었고,[18] 트레바나닙(Trebananib)은 무진행 생존율의 유의한 향상이 보고되었다.[19]
- PARP억제제: BRCA pathologic variant가 있는 2차 이상의 항암화학요법을 받은 백금민감성 재발성 난소암 환자에서 올라파립(Olaparib) 치료 시 무진행 생존율의 증가가 있어 현재 사용되고 있다.[20] 니라파립(Niraparib)은 무진행 생존 기간의 향상이 보고 되었으며,[21] 루카파립(Rucaparib)은 무진행 생존율의 유의한 향상을 보였다.[22]

ii. **백금저항성**(platinum-resistant) **또는 백금불응성**(platinum-refractory) **재발성 난소암**

① 백금 불응성은 백금기반 항암제 치료 도중 진행한 경우이고, 백금 저항성은 백금기반 항암제 치료 종료 후 6개월 이내에 재발한 경우이다.

② 증상조절, 치료 관련 독성의 최소화 및 삶의 질 유지에 목적을 두고, 임상 연구에 참여하는 것을 고려한다.

③ 항암화학요법: 페길화 리포좀 독소루비신(Pegylated liposomal doxorubicin, PLD), 토포테칸(Topotecan), 매주 파클리탁셀(weekly Paclitaxel), 젬시타빈(Gemcitabine), 페메트렉시드(Pemetrexed), 경구 에토포사이드(oral Etoposide) 등이 임상연구에서 반응율이 보고되었다.

④ 베바시주맙: 매주 파클리탁셀(weekly Paclitaxel), 페길화 리포좀 독소루비신(Pegylated liposomal doxorubicin), 토포테칸(Topotecan)의

각 항암제와 베바시주맙의 병합요법에서 객관적 반응율과 무진행 생존율의 향상을 보였다. 전체 생존율의 향상은 보이지 않았다.[23]

iii. 면역관문억제제: PD-L1 양성 혹은 현미부수체 불안전성이 높은 상피성 난소암의 치료에서 면역관문억제제가 효과적일 수 있다는 증거들이 있다. 니볼루맙(Nivolumab), 펨브롤리주맙(Pembrolizumab), 아벨루맙(Avelumab), 이필리무맙(Ipilimumab), 더발루맙(Duvalumab) 등이 1상 연구와 2상 연구에서 반응율이 있다고 보고되었다.

5. 유전성 난소암(Hereditary ovarian cancer)

A. 난소암 관련 유전자(Genes associated with ovarian cancer)

i. 난소암은 성인 고형암 중 유전적인 요인이 가장 큰 암으로 대부분 BRCA1 이나 BRCA2 유전자 돌연변이와 관련이 있다.

ii. 생식세포 돌연변이(germline mutation)를 검사하는 일반적인 유전자 분석방법은 Sanger 염기서열 분석법이다. 여러 유전자들을 한꺼번에 분석할 때 유용한 방법으로 차세대 염기서열분석방법(Next generation sequencing, NGS)이 있다.

iii. BRCA1/BRCA2 돌연변이를 보유한 난소암 환자의 직계가족 절반에서 돌연변이를 보유하고 있고, 유방암, 대장암, 췌장암, 전립선암, 자궁내막암, 흑색종 등 종양의 발생이 증가하는 것으로 알려져 있다.

iv. 대장암, 자궁내막암, 소장암, 비뇨기암을 동반하는 린치 증후군(Lynch syndrome)에서도 난소암이 발병할 수 있고, MSH2, MLH1, MSH6, PMS2, EPCAM 유전자 돌연변이와 관련이 있다. 난소암 평생 유병율은 10-20%, 대장암 및 자궁내막암의 평생 유병율은 약 40-60%에 이르는 것으로 알려져 있다

B. 위험인자 분류와 치료 가이드라인(Risk categories and management guidelines)

i. 특정유전자의 변이에 따른 어떤 질병의 위험도가 높은가에 따라 집중감시, 예방적 화학요법, 위험감소수술로 관리 지침을 정할 수 있다.

ii. 변이를 보유할 위험이 10%를 넘을 때 유전상담을 시행한 후 유전자 검사를 시행하고 평생 질병에 이환 될 위험이 20%가 넘을 때 위험 감소 조치를 시작하는 것이 일반적 원칙으로 알려져 있다.

iii. BRCA1/2 돌연변이가 확인된 보인자는 유방암 평생유병율이 41~85%, 난소암 평생 유병율이 10-46%로서 유방암과 난소암의 상대위험도가 20-30배에 이르는 것으로 알려져 있다.

iv. 난소암과 유방암의 검진 원칙

① 난소암: 6개월 간격의 경질 초음파와 CA125 혈액검사를 통한 난소암 검진은 생존율 향상의 효과가 없으므로 권고되지 않으나 주치의의 판단에 따라 시행할 수 있다.

② 유방암 검진의 지침

- 만 19세 이상 성인 매달 자가 검진
- 25세 이상: 6-12개월 간격 임상의에 의한 검진
- 25-29세: 매년 유방 MRI
- 30-69세: 매년 유방촬영술 및 유방 MRI
- 70세 이후: 개인의 상태에 맞추어 검진 시행

v. 예방적 화학요법

① BRCA1/2 유전자 변이를 가진 보인자의 향후 유방암 발생을 감소시키기 위해 타목시펜 복용을 고려할 수 있다.[24]

② BRCA1/2 유전자 변이를 가진 보인자에서 경구 피임약을 사용하면 난소암 위험도가 50% 감소한 결과가 보고되었고, 기간이 길수록 난소암의 예방효과는 더 큰 것으로 나타났다.[25]

vi. 위험감소수술(Risk reducing surgery)

① 위험감소 난소난관절제술

- BRCA1/2 pathologic variant 보인자에서 난소암, 난관암 및 복막암의 발생을 80-90% 감소시키며, 난소암에 의한 사망율을 70% 감소시킨다.[26]
- 수술 시기는 BRCA1 보인자는 35-40세경, BRCA2 보인자는 40-45세, BRIP1, RAD51C, RAD51D 유전자 변이 보인자는 45-50세경이 적절하다.

② 위험감소 양측 유방절제술

- BRCA1/2 보인자에서 유방암의 발생을 85-100% 감소시킨다.[27]
- 사망률의 감소나 생존율의 향상으로 이어진다는 근거는 부족하다.[28]

6. 생식세포종양의 조직학 및 치료(Histology and management of germ cell tumor)

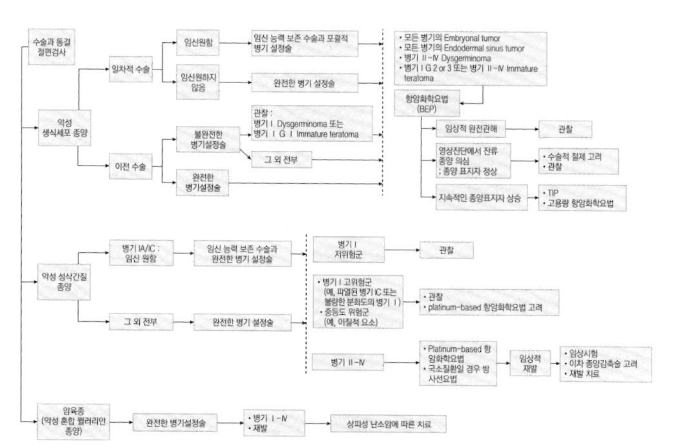

그림 1-3. 기타 난소암의 치료(대한부인종양학회 부인암 진료권고안 Version 4.0)

표 1-7. 난소의 생식세포종양의 조직학적 분류

I. 원시 생식세포종양(Primitive Germ Cell Tumors)	**III. 단엽성 기형종 및 기형낭종에서 유래한 체세포종양(monodermal teratoma and somatic-type tumors arising from a dermoid cyst)**
미분화세포종(dysgerminoma) 난황낭 종양(yolk sac tumor) 배아암(embryonal carcinoma) 다배아종(polyembryoma) 비임신성 융모막암(non-gestational choriocarcinoma) 혼합 생식세포종양(mixed germ cell tumor)	갑상선 종양 난소갑상샘종 (struma ovarii) 양성(benign) 악성(malignant) 유암종(carcinoid) 신경외배엽종양(neuroectodermal tumor)
II. 이상(Biphasic) 또는 삼상(Triphasic) 기형종	암종(carcinoma)
미성숙기형종(immature teratoma) 성숙기형종(mature teratoma) 고형(solid) 낭성(cystic) 유피낭종(dermoid cyst) 태아형 기형종(fetiform teratoma, homunculus)	멜라닌세포(melanocytic) 육종(sarcoma) 기름샘종양(sebaceous tumor) 뇌하수체형 종양(pituitary-type tumor) 그 외 기타(others)

A. 미분화세포종(Dysgerminoma)

i. 가장 흔한 악성 생식 종양이며, 75%는 10-30세 사이에 발생한다.

ii. 75%는 10-30세 사이에 발생, 5%는 10세 이전에 발생

iii. 약 5%는 비정상적인 생식샘을 가진 여성에서 발생, 10-15%는 양측성

iv. 치료

① 임신능력의 보전에 대한 고려: 편측 난소난관절제술 및 제한된 병기결정술

② 병기 1A 가 아닌 경우는 일반적으로 수술 후 항암화학요법을 시행

③ BEP (bleomycin, etoposide, cisplatin)

v. 림프절 전이가 없는 환자의 5년 생존율은 95.7%였고 림프절 전이가 있는 환자의 5년 생존율은 82.8%였다.

B. 미성숙기형종(Immature teratoma)

i. 두 번째로 흔한 악성 생식세포 종양

ii. 순수한 미성숙기형종의 약 50%는 10-20세 사이에 발생하며 폐경기 여성에서는 거의 발생하지 않는다.

iii. 성숙기형종의 악성종양으로의 전환은 1.5-2%에서 관찰된다.

iv. 치료

① 임신능력에 대한 고려: 편측 난소난관절제술 및 제한된 병기 결정술

② 병기 1A, 등급1 은 보조 요법이 필요하지 않고, 이외의 경우 보조적인 화학 요법 필요

③ BEP (bleomycin, etoposide, cisplatin)

v. 모든 병기의 순수 미성숙기형종 환자의 5년 생존율은 70-80%이며, 병기 1기의 환자의 경우 90-95%이다.[29]

C. 내배엽동종양(Endodermal sinus tumor, yolk sac tumor)

i. 세 번째로 흔한 악성생식세포종양

ii. 진단 평균 연령은 18세

iii. 대부분의 내배엽동종양은 AFP을 분비: 추적관찰에 유용

iv. 치료

① 임신능력에 대한 고려: 편측 난소난관절제술, 제한된 병기결정술

② 수술 후 회복 즉시 화학요법으로 치료

③ BEP (bleomycin, etoposide, cisplatin)

7. 성끈간질종양의 치료(Management of sex cord stromal tumor)

A. 수술 치료

i. 난포막종, 섬유종, 세르토리세포종, 라이디히세포종, 고분화된 세르톨리-라이디히세포종은 양성 종양으로 수술 절제만으로도 충분한

치료가 된다.

ii. 과립세포종양, 중등도 혹은 미분화된 세르토리-라이디히세포종은 상피성 난소암과 같이 여러 군데의 조직 검사, 대망절제술, 의심스러운 골반 및 대동맥주위 림프절 절제 등 수술적 병기 설정이 필요하다.

iii. 생식력 보존을 원하는 여성에서 병기 IA이면 자궁과 반대측 난소를 보존할 수 있다.

B. 수술 후 보조적 치료 및 재발 치료

i. 일반적으로 적절한 종양감축수술이 이루어지지 못한 경우, 전이성 혹은 재발성 질환의 경우에는 여러 가지 항암화학요법이 사용되어 왔다.

ii. 대표적인 병합 요법: BEP (bleomycin, etoposide, cisplatin), PAC (cisplatin, doxorubicin, cyclophosphamide), VAC (vincristine, actinomycin D, cyclophosphamide)

C. 방사선치료

수술 후 지속성 또는 재발성 병변의 경우 임상적 반응을 보이는 경우가 보고되고 있으나 수술 후 보조적 치료법으로 유효하다는 증거는 아직 없고 논란 중이다.

참고문헌

1. ACOG Practice Bulletin. Management of adnexal masses. Obstet Gynecol 2007;110:201-14.
2. Bamias A, Sotiropoulou M, Zagouri F, Trachana P, Sakellariou K, Kostouros E, et al. Prognostic evaluation of tumour type and other histopathological

characteristics in advanced epithelial ovarian cancer, treated with surgery and paclitaxel/carboplatin chemotherapy: cell type is the most useful prognostic factor. Eur J Cancer 2012;48:1476-83.

3. Morrison J, Haldar K, Kehoe S, Lawrie TA. Chemotherapy versus surgery for initial treatment in advanced ovarian epithelial cancer. Cochrane Database Syst Rev 2012:Cd005343.
4. Kehoe S, Hook J, Nankivell M, Jayson GC, Kitchener H, Lopes T, et al. Primary chemotherapy versus primary surgery for newly diagnosed advanced ovarian cancer (CHORUS): an open-label, randomised, controlled, non-inferiority trial. Lancet 2015;386:249-57.
5. Vergote I, Trope CG, Amant F, Kristensen GB, Ehlen T, Johnson N, et al. Neoadjuvant chemotherapy or primary surgery in stage IIIC or IV ovarian cancer. N Engl J Med 2010;363:943-53.
6. Bentivegna E, Gouy S, Maulard A, Pautier P, Leary A, Colombo N, et al. Fertility-sparing surgery in epithelial ovarian cancer: a systematic review of oncological issues. Ann Oncol 2016;27:1994-2004.
7. Armstrong DK, Bundy B, Wenzel L, Huang HQ, Baergen R, Lele S, et al. Intraperitoneal cisplatin and paclitaxel in ovarian cancer. N Engl J Med 2006;354:34-43.
8. Perren TJ, Swart AM, Pfisterer J, Ledermann JA, Pujade-Lauraine E, Kristensen G, et al. A phase 3 trial of bevacizumab in ovarian cancer. N Engl J Med 2011;365:2484-96.
9. Burger RA, Brady MF, Bookman MA, Fleming GF, Monk BJ, Huang H, et al. Incorporation of bevacizumab in the primary treatment of ovarian cancer. N Engl J Med 2011;365:2473-83.
10. Moore K, Colombo N, Scambia G, Kim BG, Oaknin A, Friedlander M, et al. Maintenance Olaparib in Patients with Newly Diagnosed Advanced Ovarian Cancer. N Engl J Med 2018;379:2495-505.
11. Gockley A, Melamed A, Cronin A, Bookman MA, Burger RA, Cristae MC, et al. Outcomes of secondary cytoreductive surgery for patients with platinum-sensitive recurrent ovarian cancer. Am J Obstet Gynecol 2019;221:625.e1-.e14.
12. Felsinger M, Minar L, Weinberger V, Rovny I, Zlamal F, Bienertova-Vasku J. Secondary cytoreductive surgery - viable treatment option in the management

of platinum-sensitive recurrent ovarian cancer. Eur J Obstet Gynecol Reprod Biol 2018;228:154-60.

13. Oksefjell H, Sandstad B, Trope C. The role of secondary cytoreduction in the management of the first relapse in epithelial ovarian cancer. Ann Oncol 2009;20:286-93.
14. Giudice MT, D'Indinosante M, Cappuccio S, Gallotta V, Fagotti A, Scambia G, et al. Secondary cytoreduction in ovarian cancer: who really benefits? Arch Gynecol Obstet 2018;298:873-9.
15. Pfisterer J, Plante M, Vergote I, du Bois A, Hirte H, Lacave AJ, et al. Gemcitabine plus carboplatin compared with carboplatin in patients with platinum-sensitive recurrent ovarian cancer: an intergroup trial of the AGO-OVAR, the NCIC CTG, and the EORTC GCG. J Clin Oncol 2006;24:4699-707.
16. Aghajanian C, Blank SV, Goff BA, Judson PL, Teneriello MG, Husain A, et al. OCEANS: a randomized, double-blind, placebo-controlled phase III trial of chemotherapy with or without bevacizumab in patients with platinum-sensitive recurrent epithelial ovarian, primary peritoneal, or fallopian tube cancer. J Clin Oncol 2012;30:2039-45.
17. Aghajanian C, Goff B, Nycum LR, Wang YV, Husain A, Blank SV. Final overall survival and safety analysis of OCEANS, a phase 3 trial of chemotherapy with or without bevacizumab in patients with platinum-sensitive recurrent ovarian cancer. Gynecol Oncol 2015;139:10-6.
18. Ledermann JA, Embleton AC, Raja F, Perren TJ, Jayson GC, Rustin GJS, et al. Cediranib in patients with relapsed platinum-sensitive ovarian cancer (ICON6): a randomised, double-blind, placebo-controlled phase 3 trial. Lancet 2016;387:1066-74.
19. Monk BJ, Poveda A, Vergote I, Raspagliesi F, Fujiwara K, Bae DS, et al. Final results of a phase 3 study of trebananib plus weekly paclitaxel in recurrent ovarian cancer (TRINOVA-1): Long-term survival, impact of ascites, and progression-free survival-2. Gynecol Oncol 2016;143:27-34.
20. Pujade-Lauraine E, Ledermann JA, Selle F, Gebski V, Penson RT, Oza AM, et al. Olaparib tablets as maintenance therapy in patients with platinum-sensitive, relapsed ovarian cancer and a BRCA1/2 mutation (SOLO2/ENGOT-Ov21): a double-blind, randomised, placebo-controlled, phase 3 trial. Lancet Oncol

2017;18:1274-84.
21. Mirza MR, Monk BJ, Herrstedt J, Oza AM, Mahner S, Redondo A, et al. Niraparib Maintenance Therapy in Platinum-Sensitive, Recurrent Ovarian Cancer. N Engl J Med 2016;375:2154-64.
22. Coleman RL, Oza AM, Lorusso D, Aghajanian C, Oaknin A, Dean A, et al. Rucaparib maintenance treatment for recurrent ovarian carcinoma after response to platinum therapy (ARIEL3): a randomised, double-blind, placebo-controlled, phase 3 trial. Lancet 2017;390:1949-61.
23. Pujade-Lauraine E, Hilpert F, Weber B, Reuss A, Poveda A, Kristensen G, et al. Bevacizumab combined with chemotherapy for platinum-resistant recurrent ovarian cancer: The AURELIA open-label randomized phase III trial. J Clin Oncol 2014;32:1302-8.
24. King MC, Wieand S, Hale K, Lee M, Walsh T, Owens K, et al. Tamoxifen and breast cancer incidence among women with inherited mutations in BRCA1 and BRCA2: National Surgical Adjuvant Breast and Bowel Project (NSABP-P1) Breast Cancer Prevention Trial. JAMA 2001;286:2251-6.
25. Iodice S, Barile M, Rotmensz N, Feroce I, Bonanni B, Radice P, et al. Oral contraceptive use and breast or ovarian cancer risk in BRCA1/2 carriers: a meta-analysis. Eur J Cancer 2010;46:2275-84.
26. Rebbeck TR, Kauff ND, Domchek SM. Meta-analysis of risk reduction estimates associated with risk-reducing salpingo-oophorectomy in BRCA1 or BRCA2 mutation carriers. J Natl Cancer Inst 2009;101:80-7.
27. Meijers-Heijboer H, van Geel B, van Putten WL, Henzen-Logmans SC, Seynaeve C, Menke-Pluymers MB, et al. Breast cancer after prophylactic bilateral mastectomy in women with a BRCA1 or BRCA2 mutation. N Engl J Med 2001;345:159-64.
28. Carbine NE, Lostumbo L, Wallace J, Ko H. Risk-reducing mastectomy for the prevention of primary breast cancer. Cochrane Database Syst Rev 2018;4:Cd002748.
29. O'Connor DM, Norris HJ. The influence of grade on the outcome of stage I ovarian immature (malignant) teratomas and the reproducibility of grading. Int J Gynecol Pathol 1994;13:283-9.

2
SECTION

자궁경부

1. 자궁경부 상피내종양 명명법(Nomenclature of cervical intraepithelial neoplasm)

LAST System	Cytology	LSIL	HSIL		
	Histology	LSIL	P16 staining should be performed*	HSIL	
Bethesda Classification System	Cytology	LSIL	HSIL		
	Histology	CIN 1	CIN 2	CIN 3	
Previous terminology		Mild dysplasia	Moderate dysplasia	Severe dysplasia	Carcinoma in-situ
Histologic images					

■ 그림 2-1. 자궁경부 상피내종양 분류 모식도

2. 자궁경부 상피내종양의 진단과 치료(Diagnosis and treatment of cervical intraepithelial neoplasm)

A. 질확대경검사

i. 질확대경 검사법

① 거즈를 이용하여 자궁경부 점액을 제거 후 자궁경부세포검사 및 인

유두종바이러스 검사

② 3-5% 아세트산에 완전히 적셔진 거즈를 자궁경부에 접촉시킨 후 자궁경부의 변화를 관찰

③ 생검은 직각으로 기질을 충분히 포함시켜 가장 나쁜 병변에서 최소 2번이상 4번까지 시행

④ 생검 조직은 즉시 포르말린 고정액에 고정

ii. **대표적인 비정상 질확대경검사 소견**

① 백반증(Leukoplakia)

② 초산백 상피(Acetowhite Epithelium)

③ 점적(Punctation)

④ 모자이크(Mosaic)

⑤ 비정형 혈관(Atypical Vessel)

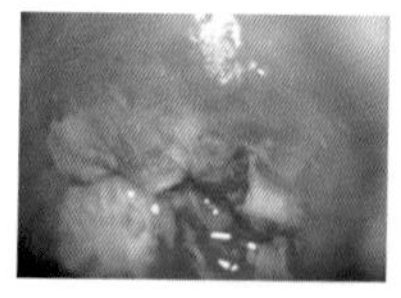

① 백반증(Leukoplakia)

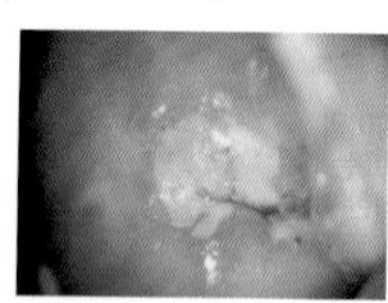

② 초산백 상피(Acetowhite Epithelium)

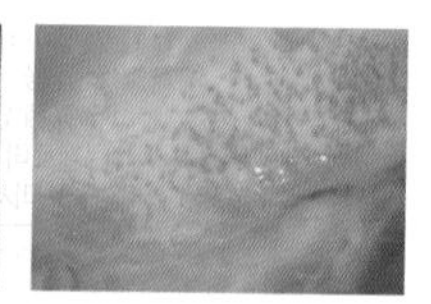

③ 점적(Punctation)

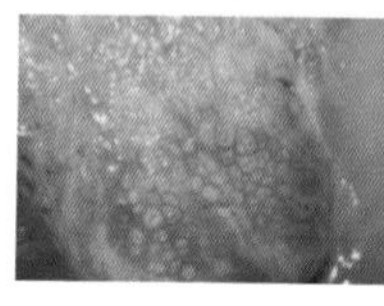

④ 모자이크(Mosaic)

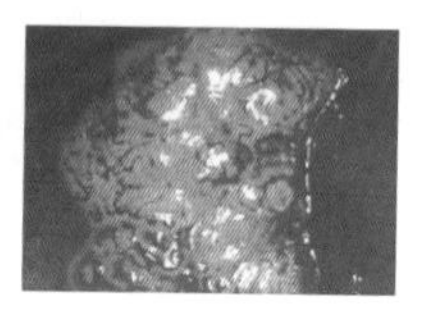

⑤ 비정형 혈관(Atypical Vessel)

■ 그림 2-2. 비정상 질확대경검사 소견

iii. 질확대경검사 등급체계

표 2-1. 수정된 Reid 질확대경검사 등급체계

질확대경검사 소견	0점	1점	2점
색깔	• 낮은 강도의 초산백(완전히 불투명하지 않음); 희미한 초산백. 투명하거나 반투명한 초산백 • 변형대 넘어 존재하는 초산백 • 격렬하게 빛나는 표면을 갖는 순수 하얀색(드묾)	• 중등도의 회백색이면서 빛나는 표면(대부분의 병변이 여기에 속함)	• 칙칙하거나, 불투명하거나, 회색이 도는 흰색이거나 회색
병변의 경계 및 표면 윤곽	• 미세콘딜로마 또는 미세유두상 윤곽을 가지며 희미한 경계를 갖는 편평한 병변 • 깃털 모양이거나 세밀한 부채꼴 모양의 경계 • 각지거나 삐죽비죽한 병변 • 변형대 넘어 존재하는 3개의 위성 병변	• 규칙적인 모양 • 부드럽고 일직선의 경계를 갖는 대칭적인 병변	• 다른 소견들 간에 경계가 말리거나 껍질이 벗겨진 듯하면서 확실히 구분되는 경우 – 중심부는 고등급 변화이고 경계부는 저등급 변화임
혈관	• 세밀하면서 하나의 직경을 갖는 혈관이 가깝게 존재 • 미세한 점적(punctation)이나 모자이크(mosaic)는 제대로 형성되지 않음 • 변형대 경계 넘어의 혈관 • 미세콘딜로마 또는 미세유두상 병변 내의 미세한 혈관	• 혈관이 없음(absent vessels)	• 구분이 잘되는 거친 점적(punctation) 또는 거친 모자이크(mosaic)
요오드 염색	• 적갈색(mahogany brown)으로 요오드 염색 • 다음 내용은 염색은 되나 의미가 없음; 위 3개의 소견에서 3점 이하로 평가되는, 변형대 넘어의 병변이 노란색으로 염색되는 경우, 질확대경검사에서 매우 뚜렷하며 요오드 염색이 안된다고 알려진 경우(이런 경우는 대부분 이상각화증(parakeratosis)임	• 부분 요오드 염색 – 다갈색이면서 얼룩덜룩함	• 요오드 염색이 안되는 의미있는 병변 – 즉, 위 3개의 소견에서 4점 이상이 되는 병변에서 안되는 경우

Colposcopic predication of histologic diagnosis using the Reid Colposcopic Indes (RCI)

RCI (overall score)	Histology
0–2	Likely to be CIN 1
3–4	Overlapping lesion: likely to be CIN 1 or CIN 2
5–8	Likely to be CIN 2–3

1) 질확대경검사에서 반드시 기술되어야 할 내용

① 자궁경부 가시성 기술

② 편평원주이행대(squamocolumnar junction) 가시성 기술

③ 초산백상피 여부 기술

④ 병변의 존재 기술

⑤ 병변의 가시성 기술

⑥ 병변의 크기와 위치 기술

⑦ 혈관 변화 기술

⑧ 병변의 다른 소견 기술

⑨ 질확대경 추정진단

2) 질확대경검사에서 최소한 포함되어야 할 내용

① 편평원주이행대(squamocolumnar junction) 가시성 기술

② 초산백상피 여부 기술

③ 병변의 존재 기술

④ 질확대경 추정진단

B. 자궁경부 전암병변의 치료

① 환상투열절제술(Loop Electrosurgical Excision Procedure, LEEP)

② 자궁경부 원추절제술(Cold knife conization)

③ 냉동치료(Cryotherapy)

④ 레이저 소작(Laser ablation)

i. 비정상 자궁경부세포 처치 및 자궁경부 상피내종양 치료

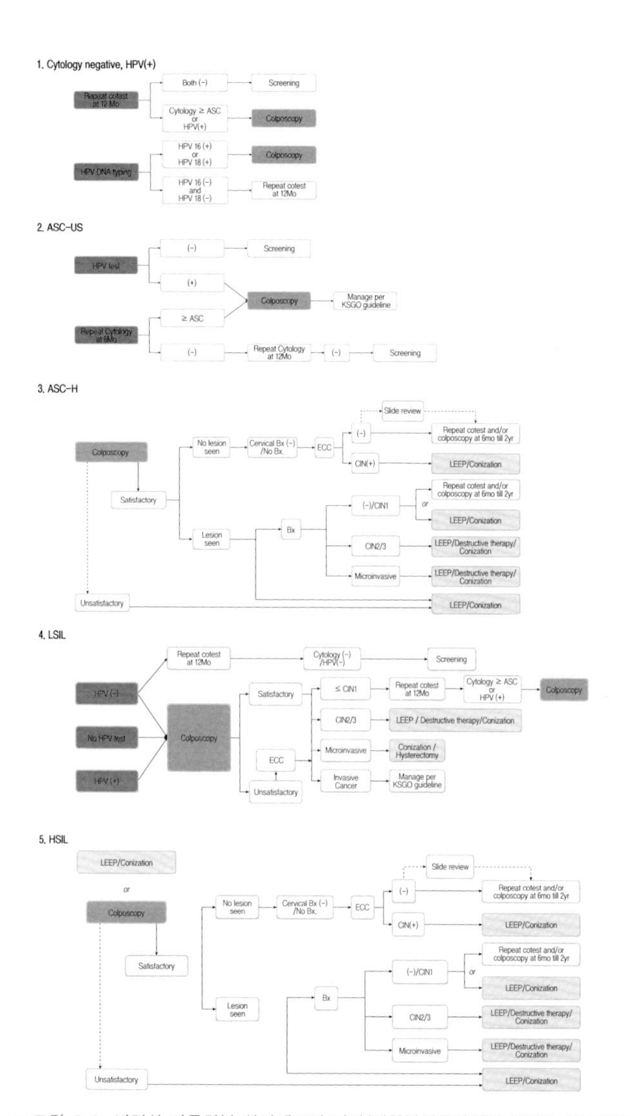

▩ 그림 2-3. 비정상 자궁경부 상피세포의 처치(대한부인종양학회 부인암 진료권고안 Version 4.0)

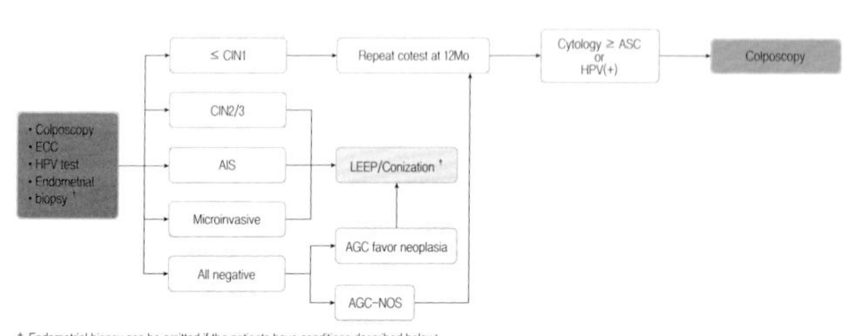

† Endometrial biopsy can be omitted if the patients have conditions described below:
(1) aged under 35, (2) low risk for endometrial cancer (obesity, polycystic ovarian syndrome, tamoxifen usage, infertility, anovulation, familial history of colorectal or endometrial cancer), (3) no abnormal uterine bleeding, (4) no atypical endometrial cells
‡ Conization is recommended if the lesion is located in endocervix. (or additional resection is recommended if LEEP was initially performed)

■ 그림 2-4. 비정상 자궁경부 선세포의 처치(대한부인종양학회 부인암 진료권고안 Version 4.0)

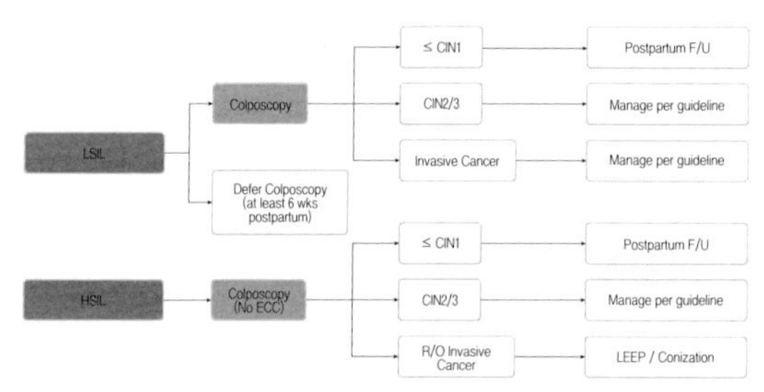

■ 그림 2-5. 임신부에서 비정상 자궁경부 세포검사의 처치(대한부인종양학회 부인암 진료권고안 Version 4.0)

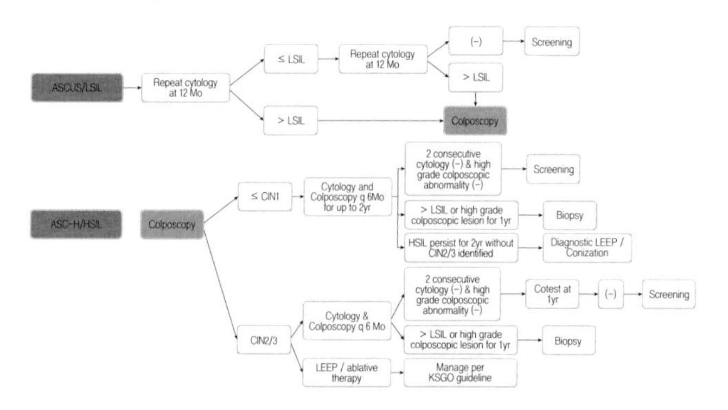

■ 그림 2-6. 청소년에서 비정상 자궁경부 세포검사의 처치(대한부인종양학회 부인암 진료권고안 Version 4.0)

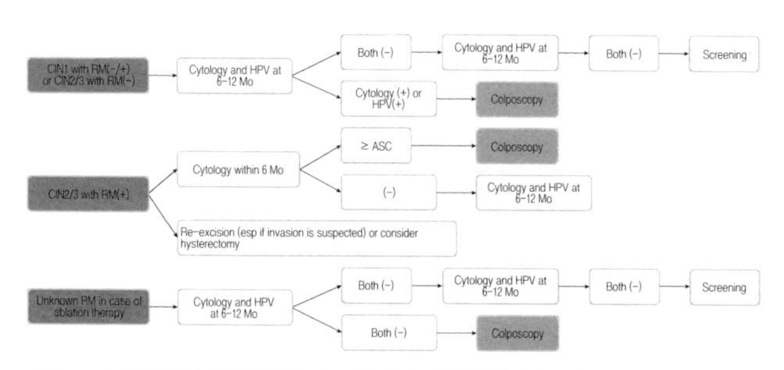

그림 2-7. 자궁경부 상피내종양 치료 후 경과 관찰(대한부인종양학회 부인암 진료권고안 Version 4.0)

3. 자궁경부암의 병기설정(Staging of cervical cancer)

2018년에 새로이 개정된 FIGO staging system에서는 이전 staging system 수정 및 영상의학 및 병리학적 소견이 도입되었다.[2] 이에, 개정된 FIGO staging system에서는 임상적인 진찰에 초음파, 컴퓨터전산화단층촬영, 자기공명영상, 양전자방출단층촬영을 포함한 모든 영상의학검사가 가용 가능하다면 병기설정에 추가하여 사용할 수 있다.

표 2-2. **병기 설정 검사법**

Diagnostic work-up (영상 및 병리 검사 방법에 제한을 두지 않음)	골반 내진 Cervical biopsy, cone biopsy CT/MRI/PET-CT Cystoscopy Proctosigmoidoscopy Lymphangiography Bone scan Tumor Markers (SCC Ag, CA125 등)

표 2-3. 2018년 FIGO (International Federation of Gynecology and Obstetrics) staging system

Stage			
I	종양이 자궁경부에 국한되어 있다.		
	IA	현미경적으로 종양의 침윤의 깊이가 <5 mm이다.	
		IA1	간질 침윤의 깊이가 <3 mm이다.
		IA2	간질 침윤의 깊이가 ≥3 mm, 그리고 <5 mm이다.
	IB	종양의 침윤의 깊이가 ≥5 mm이다.	
		IB1	종양의 최대 직경의 크기가 <2 cm이다.
		IB2	종양의 최대 직경의 크기가 ≥2 cm, 그리고 <4 cm이다.
		IB3	종양의 최대 직경의 크기가 ≥4 cm이다.
II	종양이 자궁 밖으로 진행되었으나, 질 원위부 3분의 1 및 골반벽까지는 진행되지 않았다.		
	IIA	종양이 질 근위부 3분의 2에 국한되어 있고 자궁방 침윤이 없다.	
		IIA1	종양의 최대 직경의 크기가 <4 cm이다.
		IIA2	종양의 최대 직경의 크기가 ≥4 cm이다.
	IIB	자궁주위조직 침윤이 있으나 골반벽까지는 진행되지 않았다.	
III	종양이 질 원위부 3분의 1까지 진행, 그리고/또는 골반벽까지 진행, 그리고/또는 수신증 또는 비기능성 신장을 초래, 그리고/또는 골반 그리고/또는 대동맥주위 림프절에 전이되었다.		
	IIIA	종양이 질 원위부 3분의 1까지 진행되었으나 골반벽까지는 진행되지 않았다.	
	IIIB	종양이 골반벽까지 진행, 그리고/또는 수신증 또는 비기능성 신장을 초래한다.	
	IIIC	종양의 크기와 진행과는 상관없이, 골반 그리고/또는 대동맥주위 림프절에 전이되었다.	
		IIIC1	골반 림프절에만 전이되었다.
		IIIC2	대동맥주위 림프절에 전이되었다.
IV	종양이 작은 골반(true pelvis) 밖으로 진행, 또는 방광 또는 직장의 점막을(조직학적으로 진단된 경우) 침윤하였다. (수포성 부종 bullous edema은 해당되지 않는다)		
	IVA	인접한 골반 장기에 파급되었다.	
	IVB	멀리 있는 장기에 원격 전이되었다.	
명확하지 않은 경우에는 더 낮은 병기를 설정한다.			
Stage IA의 경우, 종양의 크기와 침윤의 정도의 임상적 판단에 영상의학 소견과 병리학적 판독을 보충적으로 사용할 수 있다.			
Stage IB의 경우, 혈관/림프혈관 공간의 침윤 여부가 staging의 변경에 영향을 미치지 않는다. 병변의 측면 진행 정도(lateral extent)는 더 이상 참고사항이 아니다.			
Stage IIIC의 경우, 평가를 위하여 사용된 소견(영상의학적 소견"r", 병리학적 판독"p")을 추가한다. 예를 들어, 골반 림프절 전이가 영상의학적으로 확인된 경우 IIIC1r, 병리학적으로 확진된 경우 IIIC1p가 된다. 사용된 영상의학 또는 병리학적 검사방법을 항상 기술한다.			

4. 자궁경부암의 치료(Treatment of cervical cancer)

자궁경부암의 치료의 기본 원칙은 암의 원발병소와 잠재적인 전파 부위를 제거하는 것으로 일차 치료는 임상적 병기 결정 후 수술 또는 방사선 치료를 시행하는 것이다. 수술적 치료는 자궁경부 및 질 상부에 국한되어 있는 병기(I–II A)에서 시행할 수 있다. 방사선 치료는 모든 병기에서 적용 가능하고 수술적 치료와 비교하여 비슷한 치료 성적을 보인다. 생식력 보존이 필요한 IA, IB1 병기를 가진 선택된 환자에서 가임력 보존을 위한 수술방법이 시행될 수 있다.[3]

표 2-4. 임상병기에 따른 자궁경부암의 치료원칙

병기		임상양상	치료원칙(가임력보존을 원하는 경우)
I	IA1	침윤깊이 <3 mm	단순 자궁절제술(원추절제술)
		침윤깊이 <3 mm 림프혈관 침윤: +	제II형 자궁절제술(원추절제술 또는 광범위 자궁경부절제술)+골반 림프절절제술 또는 감시림프절생검
	IA2	침윤깊이 ≥3 mm, <5 mm	제II형 자궁절제술(광범위 자궁경부절제술) + 골반 림프절제술 또는 감시림프절생검
	IB1	침윤깊이 ≥5 mm, 종양크기<2 cm	제III형 자궁절제술(광범위 자궁경부절제술) + 골반 림프절제술 또는 감시림프절생검
	IB2	종양크기 ≥2 cm, <4 cm	제III형 자궁절제술 + 골반 림프절제술
	IB3	종양크기 ≥4 cm	동시항암화학방사선치료
II	IIA1	질상부2/3침윤, 종양크기 〈4 cm	제III형 자궁절제술+골반 림프절제술, 동시항암화학방사선치료
	IIA2	질상부2/3침윤, 종양크기 ≥4 cm	동시항암화학방사선치료
	IIB	자궁주위조직 침윤	동시항암화학방사선치료
III	IIIA	질하부 1/3 침윤	동시항암화학방사선치료
	IIIB	골반벽을 침범하고 수신증 혹은 비기능 신장이 있는 경우	동시항암화학방사선치료
	IIIC1	골반림프절 전이	동시항암화학방사선치료
	IIIC2	대동맥주위 림프절 전이	동시항암화학방사선치료+전신항암화학요법
IV	IVA	골반내 국소전이	동시항암화학방사선치료 또는 골반내용물적출술
	IVB	원격 전이	전신항암화학요법±동시항암화학방사선치료

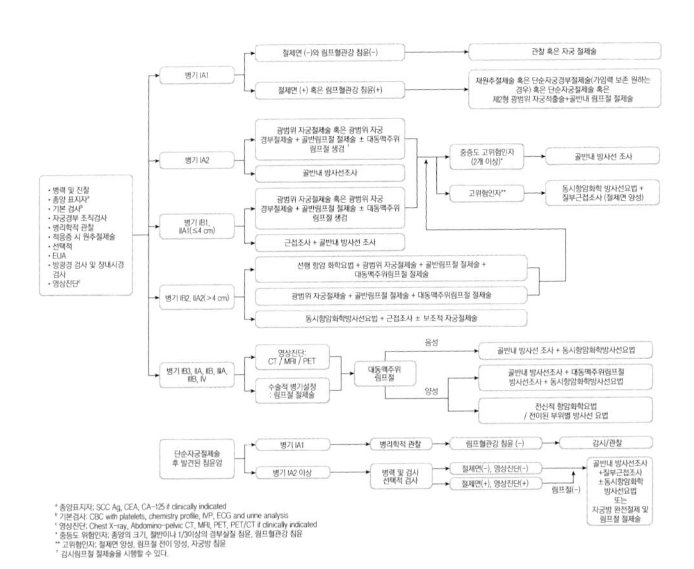

그림 2-8. 자궁경부암의 병기별 치료 내용(대한부인종양학회 부인암 진료권고안 Version 4.0)

A. 병기 IA1

① 생식력 보존을 원하지 않는 경우에는 단순 자궁절제술을 시행하고 임신을 원하는 환자에 있어서는 원추절제술을 시행할 수 있다.

② 원추절제술 결과 절제면에 잔류병변이 없고 림프혈관강침윤(lympho-vascular space invasion)이 없을 경우 추적 관찰하거나, 임신을 원하지 않는 경우 단순 자궁절제술을 시행할 수 있다.

③ 원추절제술 절제면 잔류 병변이 있을 경우, 2차 원추절제술, 자궁절제술, 또는 제2형 광범위자궁절제술과 함께 골반 림프절절제술을 시행할 수 있다.

④ 원추절제술 결과 림프혈관강 침윤이 있는 경우 제2형 광범위자궁절제술과 함께 골반 림프절절제술 또는 감시림프절생검(sentinel lymph node biopsy)을 시행할 수 있다. 임신을 원하는 림프혈관강 침윤 양성인 IA1 자궁경부암 환자에서 원추절제술, 단순 자궁경부절제술 또는 광범위 자궁경부절제술(radical trachelectomy)을 시행할 수 있다.

⑤ 미세침윤 자궁경부 선암의 경우에도 병기가 IA1이고 림프 혈관 침윤이 없으면서 경계면 종양 음성 소견을 보이는 경우 가임력 보존을 위한 원추절제술을 시행할 수 있다.

B. 병기 IA2 (≥3 mm to <5 mm invasion)

① 제2형 광범위자궁절제술과 골반 림프절절제술 또는 감시림프절생검을 시행한다.

② 임신을 원하는 환자에서는 광범위자궁경부절제술과 골반 림프절절제술을 고려할 수 있다.

③ 원추절제술 결과 절제면에 잔류병변이 없고 골반 림프절절제술 결과 전이가 없는 경우 원추절제술 후 추적관찰을 시행할 수도 있다.

C. 병기 IB1, IB2, IIA1

① 광범위 자궁절제술과 골반 림프절절제술을 시행하며, 필요에 따라서 대동맥주위 림프절생검을 시행한다.

② 수술적 치료와 방사선 치료의 치료성적은 거의 비슷하다. 일반적으로 내과적 질환으로 수술에 부적절한 환자가 방사선 치료나 동시항암화학방사선치료 적응이 된다.

③ 환자가 임신을 원하는 경우, IB1환자에서 선택적으로 광범위 자궁경부절제술 및 골반림프절절제술을 시행할 수 있다.

D. 병기 IB3, IIA2

① 일차적 치료법은 동시항암화학방사선요법, 광범위 자궁절제술 후 개별화된 추가 방사선치료, 선행 항암화학요법 후 광범위 자궁절제술 등 세

가지로 요약할 수 있다.

② 원발 병소가 큰 경우 시스플라틴을 기반으로 하는 동시항암화학방사선요법이 일차 치료로 고려될 수 있다.[4]

③ 수술적 치료가 고려될 때 광범위 자궁절제술, 골반 림프절절제술 및 대동맥주위 림프절절제술을 시행한 후 수술 후 위험도에 따라 보조적 동시항암화학방사선요법이 고려될 수 있다.

E. 수술후 고위험 환자의 치료

초기 자궁경부암의 광범위 자궁절제술 후 추가 치료 여부는 재발의 위험인자 유무에 의해 결정된다.

i. 수술 후 중등도 위험인자(표 2-5)

표 2-5. Sedlis 기준

LVSI	Stromal Invasion	Tumor Size (cm) (determined by clinical palpation)
+	Deep 1/3	Any
+	Middle 1/3	≥2
+	Superficial 1/3	≥5
–	Middle or deep 1/3	≥4

① 종양 크기가 큰 경우

② 깊은 경부실질 침윤(자궁경부실질의 〉1/3)

③ 림프혈관강 침윤

ii. 수술 후 고위험인자

① 절제면 양성

② 림프절 전이

③ 자궁주위 조직 침윤(절제면 양성이거나 5 mm 미만의 근접 절제면)

<u>중등도 위험인자가 ≥ 2개 → 골반방사선치료,</u>

<u>고위험 인자(+) → 동시항암화학방사선치료,</u>

<u>절제면 양성소견이 있을 경우 질강내 근접치료</u>[5]

F. 병기 IIB-IVA

① 동시항암화학방사선치료가 표준 치료법

② 외부조사 방사선치료 선량: 40-50 Gy / 추가 boost가 필요할 경우 60-65 Gy

③ 외부조사 방사선치료가 진행되는 동안 주 1회 시스플라틴 항암화학치료를 시행한다.

④ 전체 치료기간을 8주 이내로 한다.

표 2-6. 동시항암화학방사선치료 일정 예시

	주								
	1	2	3	4	5	6	7	8	9
시스플라틴	1회	1회	1회	1회	1회	1회			
외부조사	5회	5회	5회	5회	5회	3회			
근접치료					모의치료	2회	2회	2회	
자궁주위/림프절 추가치료						모의치료	3회	3회	3회

G. 병기 IVB

① 병기 IVB 환자의 경우에는 항암화학요법 및 환자에 따라 적절한 방사선치료를 시행한다.

H. 방사선치료 부작용 및 관리

i. 치료 중 부작용

① 구역 및 구토: 항구토제(그라니세트론, 온단세트론염산염수화물 등) 처방

② 식사량의 저하: 식욕촉진제(메게스트롤아세테이트 등) 또는 경구섭취 영양제 처방

③ 변비 또는 설사: 초기에 변완화제(수산화마그네슘, 락툴로오즈농축

액 등) 또는 지사제(스멕타이트, 로페라마이드 등) 처방

④ 빈뇨 및 배뇨통: 요로감염이 동반된 경우에는 항생제와 진통소염제 처방

방사선치료로 인한 증상이 경우에는 트로스퓸염화물 등의 약을 처방

ii. 후기 부작용

① 질 협착: 방사선치료 완료 2주 후부터 에스트로겐이 포함된 질정을 주 2회 처방

② 직장 출혈: 부데소니드 관장제 및 지혈제 등의 약물치료, 출혈지속되는 경우에는 내시경적 지혈술

③ 방광질사이 누공: 필요 시 수술

④ 장 천공: 필요 시 수술

⑤ 골절: 골다공증 검사, 낙상예방

5. 비편평상피세포 자궁경부암(Non-squamous histology type of cervical cancer)

편평상피세포 자궁경부암 이외에는 상피내선암종, 자궁경부 선암, 선편평세포암, 선낭암 등이 있으며 우리나라 부인병리연구회가 구분하는 병리조직분류는 다음과 같다(표 2-7).

표 2-7. 비편평상피세포자궁경부암의 분류(WHO female genital tract 2014)

Glandular tumors and precursors
• Adenocarcinoma in situ • Adenocarcinoma, NOS • Endocervical adenocarcinoma, usual type • Mucinous carcinoma, NOS • Mucinous carcinoma, gastric type • Mucinous carcinoma, intestinal type • Mucinous carcinoma, signet-ring cell type • Villogladular carcinoma • Endometrioid carcinoma • Clear cell carcinoma • Serous carcinoma • Mesonephric carcinoma • Adenocarcinoma admixed with neuroendocrine carcinoma

Other epithelial tumors
• Adenosquamous carcinoma • Glassy cell carcinoma • Adenoid cystic carcinoma • Undifferentiated carcinoma
Neuroendocrine tumors
• Low-grade neuroendocrine tumor • High-grade neuroendocrine tumor

A. 자궁경부 선암

① 자궁경부에서 생긴 모든 암의 25%

② IECC (International Endocervical Adenocarcinoma Criteria and Classification)에서는 형태 이외에 원인과 임상양상에 따라서 HPV 관련 자궁경부 선암과 HPV 비관련 자궁경부선암으로 분류(표 2-8)

③ Usual type 선암이 가장 흔하며 자궁경부 선암의 85-90%를 차지하고 5년 무병생존율은 77-91%, 5년 전체생존율은 50-65%로 보고됨

④ Gastric type 선암은 자궁경부 선암의 10%로 두번째로 흔한 자궁경부 선암의 형태이며 HPV 비관련 자궁경부 선암의 대표적인 예로 매우 공격적이며, 항암제에 반응하지 않고 대부분 진행성 암으로 발견되며 1기로 발견이 되어도 5년 생존율이 62%, 질환 특이적 5년 생존율은 32%로 보고됨

⑤ 자궁경부 선암의 병기는 FIGO 분류를 따르게 되며 편평상피세포암과 동일하게 치료

표 2-8. HPV 관련성에 따른 자궁경부 선암의 IECC 분류

HPV-Associated subtype	Non-HPV-Associated subtype
• Usual type endocervical adenocarcinoma (UEA) • Villoglandular carcinoma (VC) • HPV-associated mucinous carcinoma • Invasive stratified mucin-producing carcinoma	• Gastric-type adenocarcinoma • Mesonephric carcinoma (MNC) • Clear cell carcinoma (CCC) • Serous carcinoma (SC) • Endometrioid adenocarcinoma

6. 재발성 자궁경부암

자궁경부암의 재발은 일반적으로 영상진단으로 확인할 수 있지만 선택적인 경우 침습적 방법을 이용하여 확진하고 치료 계획을 세운다. 난치성 자궁경부암 환자는 개인의 자궁경부암 상황에 따른 완화요법, 통증조절요법 및 정신적 지지요법 등을 포함한 포괄적 접근이 필요하다.

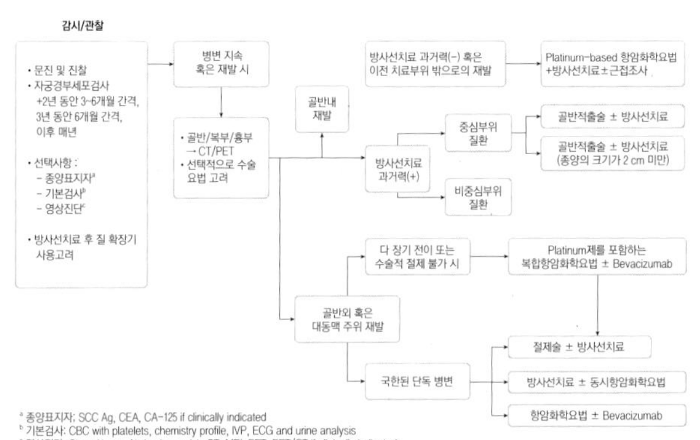

■ 그림 2-9. 자궁경부암 추적 관찰 및 재발 시 치료 방법 요약(대한부인종양학회 부인암 진료 권고안 Version 4.0)

A. 골반내 재발, 국소 재발

국소 재발된 경우에는 방사선 혹은 동시항암화학방사선치료, 아니면 수술을 시행할 수 있다(그림 2-9).

i. 이전 방사선치료를 시행하지 않은 경우나 이전 방사선조사 범위를 벗어난 곳에 재발

① 동시항암화학방사선치료를 고려하여야 하며 근접조사는 선택적으로 시행한다.

② 동시항암화학방사선치료의 항암제는 시스플라틴, 카보플라틴, 시스플라틴/플루오로우라실이 사용되나, 초기 동시항암화학방사선치료

이후에 바로 재발된 경우에는 파클리탁셀, 젬시타빈을 사용하기도 한다.

ii. 이전에 방사선치료를 받았던 골반 중심부의 재발

① 골반내용물적출술(pelvic exenteration)을 선택적으로 시행할 수 있다.

② 종괴가 2 cm 미만으로 작을 때는 광범위 자궁절제술이나 근접방사선 재치료를 고려할 수도 있다.

③ 골반 중심부 재발이 아닐 때는 방사선 치료, 수술적 제거, 항암화학치료를 시도할 수 있다.

B. 골반외 재발

골반외 재발, 대동맥주위 림프절 재발, 다발성 재발, 혹은 수술적 절제가 불가능한 재발이 있는 환자는 항암화학요법이나 지지 요법을 시행하되, 고립성 재발은 선택적으로 항암화학요법, 수술적 절제, 방사선치료, 또는 동시항암화학방사선치료를 고려할 수 있다. 구제 목적의 항암화학요법은 방사선치료나 골반장기적출술의 적응증이 되지 않는 재발 환자에게 권장된다.

① 일차 항암치료로 백금제를 기반으로 하는 복합약물이 권장되고, 이를 사용할 수 없는 경우에는 시스플라틴 단독요법을 시행할 수 있다.

② 복합항암제로는 JCOG0505 임상시험에서 투여하기 쉽고 내성이 우수한 카보플라틴/파클리탁셀 복합제가 시스플라틴/파클리탁셀에 비하여 non-inferior 한 결과를 보였다.[7]

③ GOG240 임상시험에서 복합제에 베바시주맙을 추가하여 13.3개월에서 16.8개월로 통계학적으로 의미 있는 전체생존율을 향상을 보고 하였다.[8]

④ 최근 연구에서 펨브롤리주맙이 PD-L1 양성, MSI-H/dMMR 자궁경부암 치료에 효과가 있음을 보였다.[9]

7. 자궁경부암의 기타 치료

A. 항암화학요법

① 재발성 및 전이성 자궁경부암의 경우 치료법은 매우 제한적이며 항암화학요법 또한 다른 암종에 비해 상대적으로 항암화학요법에 저항성을 보인다.

② 재발성, 전이성 자궁경부암의 1차 치료로는 시스플라틴, 파클리탁셀 요법에 베바시주맙을 추가한 요법이 가장 권고되고 있다. GOG240연구 결과에 의하면, 베바시주맙을 시스플라틴/파클리탁셀 병용요법에 추가함으로써 약 3.7개월의 생존 연장 효과를 얻을 수 있었다.[10] 이외 병합요법으로는 카보플라틴/파클리탁셀[7], 시스플라틴/토포테칸[11]이 있다.

③ 병합용법이 어려운 경우는 단독요법으로 시스플라틴이 가장 많이 사용되었으며 그 외 단독요법으로는 카보플라틴, 파클리탁셀, 토포테칸, 이리노테칸, 이포스파미드 등의 약제가 있다.

표 2-9. 자궁경부암 항암요법

자궁경부암 항암요법
Cisplatin + paclitaxel + bevacizumab
Cisplatin + paclitaxel
Cisplatin + topotecan + bevacizumab
Cisplatin + topotecan
Cisplatin (preferred as a single agent)
Cisplatin + vinorelbine
Cisplatin + gemcitabine
Cisplatin + ifosfamide
Carboplatin + paclitaxel
Carboplatin
Paclitaxel

B. 혈관신생억제제 치료

① GOG240 임상시험에서는 원발성 자궁경부암 IVB, 재발성, 전이성 자궁경부암 환자를 대상으로 시스플라틴/파클리탁셀 병합군, 토포테탄/파클리탁셀 병합군, 이 두 군에 베바시주맙(15 mg/kg, IV)을 추가한 3주

간격의 치료로, 4군을 비교하였다.[10]

② 베바시주맙과 항암화학요법 병합은 항암화학요법에 비해 3.7개월의 전체 생존율 증가(17.0개월 vs 13.3개월), 2.3개월의 무진행 생존율 증가(8.2 vs 5.9개월) 및 사망 위험비율 감소(hazard ratio for death: 0.71, p=.004) 감소를 보였다.

③ 부작용으로는 고혈압 발생(25%), 정맥혈전증(8%), 위장관누공(3%) 등이 관찰되었다.

C. 종양면역치료

① 펨브롤리주맙: 펨브롤리주맙은 흑색종, 비소세포성 폐암, 호지킨림프종, 재발성 두경부암, 현미부수체 불안정성이 높거나 DNA 불일치 복구 유전자 결핍(microsatellite instability high 또는 mismatch repair deficient) 암 치료에 허가상태이다.
- 항PD-1 단일항체인 펨브롤리주맙을 이용한 2상의 KEYNOTE-158 임상시험이 진행성 자궁경부암 환자를 대상으로 시행되었다.[12]
- 펨브롤리주맙 치료에 대한 반응율은 14.6% 였으며 반응 기간은 3.7개월에서 18.6개월까지 보고가 되었으며, 부작용으로는 갑상선기능저하증, 식욕저하, 피곤 등이 있었다.

② 니볼루맙(Nivolumab)
- CheckMate 358 임상시험은 재발성, 전이성 자궁경부암, 질암, 외음부암 치료에 240 mg 용법으로 2주간격으로 사용되었다.[13]
- 반응율은 26%, 평균 6개월 이상의 치료 반응 기간을 보였다.
- 부작용으로는 저나트륨혈증, 실신, 간독성 등이 보고되었다.

D. 추적관찰

첫 2년 동안은 3-6개월 간격으로 경과 관찰하고 이후 3년 동안은 6-12개월 간격으로 경과 관찰한다. 이후 1년 간격으로 경과 관찰한다.

표 2-10. 추적관찰 간격 및 검사항목

년	간격	검사
1~2	3개월	골반진찰, Pap, Tumor Marker (SCC Ag, CA125 등)
	6개월	Chest X-ray, CBC, BUN/Cr
	1년	Chest X-ray, CT/MRI, optional: chest CT, PET-CT
3~5	6개월	골반진찰, Pap, Tumor Marker (SCC Ag, CA125 등)
	1년	Chest X-ray, CT/MRI optional: chest CT, PET-CT
>5	1년	골반진찰, Pap, Tumor Marker (SCC Ag, CA125 등), Chest X-ray

참고문헌

1. 대한부인종양학회. 자궁경부암 조기검진을 위한 진료권고안. Seoul:Korean Society of Gynecologic Oncology; 2021.
2. Bhatla N, Aoki D, Sharma DN, Sankaranarayanan R. Cancer of the cervix uteri. Int J Gynaecol Obstet. 2018 Oct;143 Suppl 2:22-36.
3. Lim MC, Lee M, Shim SH, Nam EJ, Lee JY, Kim HJ, et al. Practice guidelines for management of cervical cancer in Korea: a Korean Society of Gynecologic Oncology Consensus Statement. J Gynecol Oncol 2017;28:e22.
4. Morris M, Eifel PJ, Lu J, Grigsby PW, Levenback C, Stevens RE, et al. Pelvic radiation with concurrent chemotherapy compared with pelvic and para-aortic radiation for high-risk cervical cancer. N Engl J Med 1999;340:1137-43.
5. Peters WA, 3rd, Liu PY, Barrett RJ, 2nd, Stock RJ, Monk BJ, Berek JS, et al. Concurrent chemotherapy and pelvic radiation therapy compared with pelvic radiation therapy alone as adjuvant therapy after radical surgery in high-risk early-stage cancer of the cervix. J Clin Oncol 2000;18:1606-13.
6. 대한부인종양학회 부인암 진료권고안 개정위원회. 자궁경부암 진료권고안 Ver 4.0. Practice Guideline For Gynecologic Cancer. Seoul: Korean Society of Gynecologic Oncology; 2021.
7. Kitagawa R, Katsumata N, Shibata T, Kamura T, Kasamatsu T, Nakanishi T,

et al. Paclitaxel Plus Carboplatin Versus Paclitaxel Plus Cisplatin in Metastatic or Recurrent Cervical Cancer: The Open-Label Randomized Phase III Trial JCOG0505. J Clin Oncol 2015;33:2129-35.

8. Tewari KS, Sill MW, Penson RT, Huang H, Ramondetta LM, Landrum LM, et al. Bevacizumab for advanced cervical cancer: final overall survival and adverse event analysis of a randomised, controlled, open-label, phase 3 trial (Gynecologic Oncology Group 240). Lancet 2017;390:1654-63.
9. Frenel JS, Le Tourneau C, O'Neil B, Ott PA, Piha-Paul SA, Gomez-Roca C, et al. Safety and Efficacy of Pembrolizumab in Advanced, Programmed Death Ligand 1-Positive Cervical Cancer: Results From the Phase Ib KEYNOTE-028 Trial. J Clin Oncol 2017;35:4035-41.
10. Tewari KS, Sill MW, Long HJ, 3rd, Penson RT, Huang H, Ramondetta LM, et al. Improved survival with bevacizumab in advanced cervical cancer. N Engl J Med 2014;370:734-43.
11. Long HJ, 3rd, Bundy BN, Grendys EC, Jr., Benda JA, McMeekin DS, Sorosky J, et al. Randomized phase III trial of cisplatin with or without topotecan in carcinoma of the uterine cervix: a Gynecologic Oncology Group Study. J Clin Oncol 2005;23:4626-33.
12. Chung HC, Ros W, Delord JP, Perets R, Italiano A, Shapira-Frommer R, et al. Efficacy and Safety of Pembrolizumab in Previously Treated Advanced Cervical Cancer: Results From the Phase II KEYNOTE-158 Study. J Clin Oncol 2019;37:1470-8.
13. Minion LE, Tewari KS. Cervical cancer - State of the science: From angiogenesis blockade to checkpoint inhibition. Gynecol Oncol 2018;148:609-21.

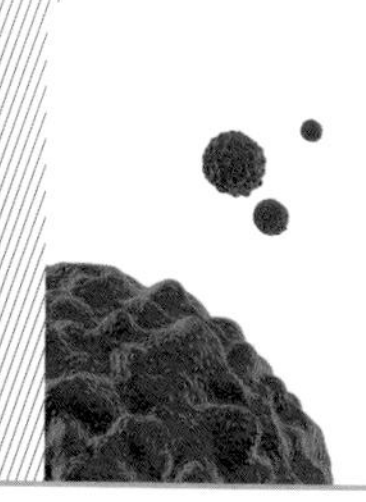

3 SECTION 자궁체부

1. 자궁내막증식증과 자궁내막 상피내종양

A. 정의: 자궁내막의 분비샘(gland)**과 간질**(stroma)**이 비정상적으로 증식하는 질환으로 불규칙적인 모양과 크기의 샘의 증식, 간질에 대한 샘 비율의 증가**(increased gland/stroma ratio)**로 정의된다.** [1]

B. 분류

이전에는 1994 세계 보건기구(World Health Organization, WHO) 분류법이 가장 널리 사용되었다. 하지만 현재 통용되는 자궁내막증식증의 두 가지 주요 분류법으로는 2014 세계보건기구(WHO) 분류법과 자궁내막 상피내종양(The endometrial intraepithelial neoplasia, EIN) 분류법이 있다.

i. WHO 1994: 자궁내막증식증을 구조적인 복잡성과 세포학적 비정형성 유무에 따라 4가지 범주로 나누었다.[2]

① 단순 자궁내막증식증: 침습성 암종 진행률 1%

② 복합 자궁내막증식증: 침습성 암종 진행률 3%

③ 비정형 단순 자궁내막증식증: 침습성 암종 진행률 8%

④ 비정형 복합 자궁내막증식증: 침습성 암종 진행률 29%

표 3-1. 자궁내막 증식증의 분류(1994 WHO)

단순 자궁내막증식증	Simple hyperplasia
복합 자궁내막증식증(선양)	Complex hyperplasia (adenomatous)
비정형 단순자궁내막증식증	Simple atypical hyperplasia
비정형 복합자궁내막증식증 (세포변성을 동반한 선화)	Complex atypical hyperplasia (Adenomatous with atypia)

ii. Endometrial intraepithelial neoplasia (EIN) 분류법: 정량화된 형태학적 분석을 바탕으로 자궁내막암으로의 진행가능성을 평가, 양성과증식상태인 자궁내막증식증과 전암병변으로서의 자궁내막 상피내암(EIN)의 2가지 카테고리로 자궁내막증식증을 분류한다.
EIN 진단의 기준이 되는 3가지 조직형태학적 변수는 1) 샘의 밀집도(increased volume of glandular crowding), 2) 병변의 크기(lesion diameter>1 mm), 3) 근접한 자궁내막조직과의 세포학적 차이(cytology different from adjacent endometrium)이다.[3]

표 3-2. 자궁내막 증식증의 분류(2014 WHO)

비정형이 없는 자궁내막증식증	Hyperplasia without atypia (non-neoplastic)
비정형 자궁내막증식증	Atypical hyperplasia (endometrial intraepithelial neoplasia, EIN)

iii. WHO 2014: EIN 분류체계의 이중 분류 개념을 받아들여 양성 자궁내막증식증인 비정형성이 없는 자궁내막증식증(non-atypical endometrial hyperplasia)과 전암병변, 즉 자궁내막 상피내암인 비정형 자궁내막증식증(atypical endometrial hyperplasia)의 2가지 카테고리로 구분한다.

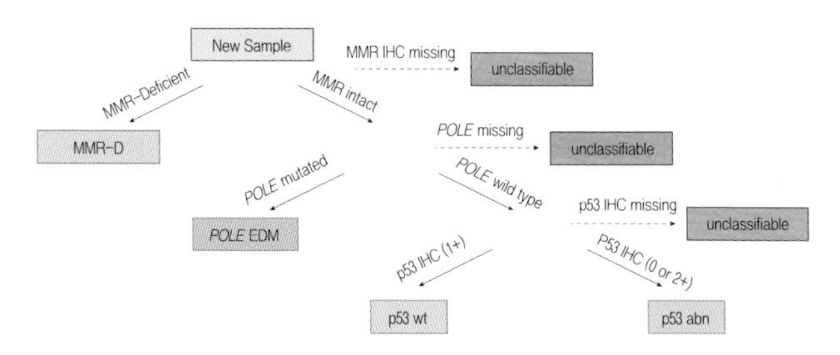

■ 그림 3-2. The Proactive Molecular Risk Classi er for Endometrial Cancer (ProMisE) Algorithm

표 3-6. Molecular classification of endometrial cancer

Subtype (Synonyms)	POLE-Mutant POLE EDM	MMRd MSI	p53wt, MSS, CN Low NSMP	p53 Abn CN High
Mutational frequency	>100 mutations/Mb	100 – 10 mutations/Mb	<10 mutations/Mb	<10 mutations/Mb
Somatic copy-number alterations	Very low	Low	Low	High
Top five recurrent gene mutations(%)	POLE (100%) DMD (100%) CSMD1 (100%) FAT4 (100%) PTEN (94%)	PTEN (88%) PIK3CA (54%) PIK3R1 (42%) RPL22 (37%) ARID1A (37%)	PTEN (77%) PIK3CA (53%) CTNNB1 (52%) ARID1A (42%) PIK3R1 (33%)	TP53 (92%) PIK3CA (47%) FBXW7 (22%) PPP2R1A (22%) PTEN (10%)
Associated histological feature	Endometrioid Grade 3 Ambiguous morphology Broad front invasion TILs,peri-tumoral Lymphocytes Giant tumoral cells	Endometrioid Grade 3 LVSI substantial MELF-type invasion TILs, Crohn's-like peri-tumoral reaction Lower uterine segment involvement	Endometrioid Grade 1–2 Squamous differentiation ER/PR expression	Serous Grade 3 LVSI Destructive invasion High cytonuclear atypia Giant tumoral cells Hobnailing , Slit-like spaces
Associated clinical features	Lower BMI Early Stage (IA/IB) Early onset	Higher BMI Lynch Syndrome	Higher BMI	Lower BMI Advanced stage Late onset
Prognosis in early stage (I–II)	Excellent	Intermediate	Excellent/intermediate/poor	Poor
Diagnostic test	Sanger/NGS Tumor mutation burden	MMR-IHC (MLH1, MSH2, MSH6, PMS2) MSI assay Tumor mutation burden		p53-IHC NGS Somatic copy-number aberrations

- 증상: 90%이상에서 이상출혈 동반
- 진단(Diagnostic method): 내자궁경부 긁어냄술(endocervical curettage), 내막생검(endometrial biopsy). 필요 시 자궁경(hysteroscopy)을 시행할 수 있는데 이 때 매질(medium)때문에 악성 세포가 복강 내로 전파될 가능성이 있어 보이지만, 재발이나 생존율 영향을 준다는 증거는 없다.[16]
- 치료 전 평가: 혈액 검사, 흉부/ 골반/ 복부 컴퓨터 단층촬영(CT) 스캔, 자기공명영상(MRI) 스캔.[17,18]
  : 위장관 암의 가족력이 있거나 변에서 잠혈이 있으면 대장내시경 실시
- 예후 인자:

표 3-7. 자궁내막암의 예후 인자

병기(경부 포함, 부속기 포함, 림프절 전이, 복강내 종양)	
나이 조직 유형 조직 등급 핵 등급 근층 침범 혈관 공간 침범	종양 크기 복막 세포검사 호르몬 수용체 상태 DNA 배수성 및 생물학적 표지자 분자병리학적 특징(molecular classification)

A. 조직학적 분류

i. 자궁내막양 암종: 가장 흔한 조직형이고 자궁내막암의 80%를 차지하며, 일반적으로 선행 병변인 비정형 자궁내막증식증(Atypical endometrial hyperplasia)에서 발생한다.[3]

① 원인: 프로게스테론이 없는 에스트로겐(unopposed estrogen)에 노출되면 위험이 증가한다.

표 3-8. 자궁내막양(Endometrioid) 자궁내막암 위험도

특징	상대위험도
미산부	2–3
늦은 폐경	2.4
비만	3–10

당뇨	2.8
에스트로겐 단독 치료	4-8
타목시펜 치료	2-3
비정형 자궁내막증식증	8-29
린치 증후군	20

ii. **장액성 및 투명세포 암**(Serous and clear cell carcinoma)

① 자궁유두장액성 암(uterine papillay serous carcinoma, UPSC)[19]

(ㄱ) 선암의 10% 미만이지만 경과가 매우 불량하다.

(ㄴ) 고농도 에스트로겐(hyperestrogenism)과 관련이 없다.

(ㄷ) 위축된 자궁내막에서 주로 발생한다.

② 투명세포암(clear cell carcinoma)[20]

(ㄱ) 5년 생존률이 44%로 예후가 좋지 않다.

iii. **암육종**(Carcinosarcoma)

① Malignant Mixed Mullerian Tumor (MMMT, 악성혼합뮐러종양)라고도 불렸다.[21]

② 과거에는 자궁육종으로 분류되었지만 현재는 중간엽조직화생(mesenchymal metaplasia)이 동반된 자궁내막암으로 생각되고 있다.

③ 치료법

(ㄱ) 고등급 자궁내막양암과 마찬가지로 전자궁절제술, 양측 난소난관절제술, 림프절절제술을 포함한 병기 설정술을 시행하여야 한다.

(ㄴ) 항암화학요법: 이포스파미드(ifosfamide)가 가장 널리 알려진 약제이며 시스플라틴과 복합요법으로 주로 사용하며, 고등급 자궁내막암에 준해서 치료해야 한다는 최근 권고에 따라 파클리탁셀 + 카보플라틴 복합요법을 사용하기도 한다.

B. 유전성 자궁암(Hereditary endometrial cancer)

i. **대부분의 자궁내막암은 산발적 돌연변이**(sporadic mutation)**에 의해**

발생한다. 유전성 자궁내막암은 전체 환자의 약 5% 정도이며 산발적 암에 비해 10-20년 일찍 발병한다.

ii. 유전성 자궁내막암의 대부분은 린치 증후군이며 이는 비용종증 대장암(hereditary nonpolyposis colorectal cancer, HNPCC)으로도 불리운다.[22,23]

① 전체 자궁내막암의 2-5%에 해당한다.

② 린치 증후군은 상염색체 우성으로 유전된다.

③ DNA 불일치 복구(DNA mismatch repair, MMR) 유전자의 생식세포 돌연변이에 의해 발생한다.

④ MMR 유전자는 MLH1, MSH2, MSH6, PMS2, EPCAM 등이 있다.

⑤ 선별 검사를 위해 위해 종양조직에서 MLH1, MSH2, MSH6, PMS2에 대해 면역염색한다.

⑥ MLH1 단백 소실은 생식세포 돌연변이 외 메틸화(methylation)에 의한 것일 수 있으므로 린치 증후군과 감별을 위한 추가 검사가 필요하다.

⑦ 현미부수체 불안정성 검사(Microsatellite instability test, MSI)는 MMR 유전자 결손과 관련이 높은 소견으로 유전자 복제 시 돌연변이 빈도가 증가하여 발생하는 현미부수체 조각(microsatellite fragment)을 측정한다.

iii. 린치 증후군은 생식세포 유전 검사로 확진하며 모든 환자에서 일률적으로 유전 검사를 시행하는 것보다는 가족력, 면역조직화학염색(immunohistochemistry), 현미부수체불안정성 검사(Microsatellite instability test, MSI) 등을 이용한 선별검사를 먼저 시행하여 해당되는 환자에 대해 유전 검사를 시행하는 것을 권장한다.

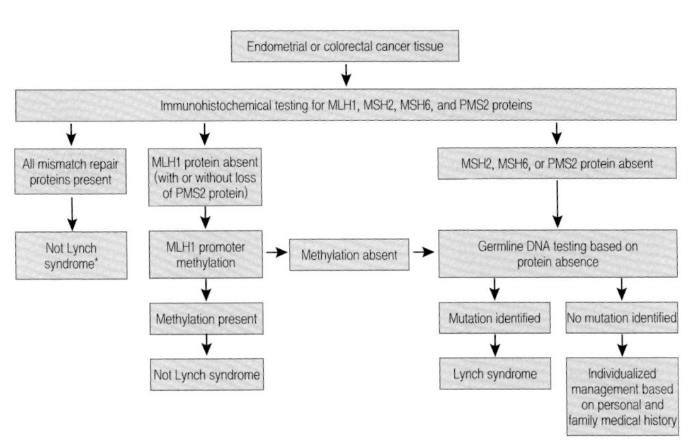

그림 3-3. 린치 증후군 진단을 위한 검사 알고리즘(Testing algorithm for Lynch syndrome)

① 린치 증후군에 대한 유전 평가가 필요한 대상

The 2004 Bethesda guideline (modified to include endometrial cancer as a sentinel cancer): 유전 평가가 권고되는 자궁내막암 환자 선별 목적
• 50 세 이전 자궁내막암 또는 대장암 진단 • 자궁내막암 또는 난소암 진단 + 대장암과 같은 린치 증후군 관련암 진단 • 자궁내막암 또는 대장암 진단, 1촌 이내 가족에서 50세 이전 린치 증후군 관련암 진단 • 자궁내막암 또는 대장암 진단, 2명 이상 가족에서 린치 증후군 관련암 진단 • 60세 이전 대장암 진단, 조직 내 tumor-infiltrating lymphocytes, peritumoral lymphocytes, Crohn-like lymphocytic reaction, mucinous/signet-ring differentiation,or medullary growth pattern
린치 증후군 관련암: 대장암, 자궁내막암, 전립선암, 위암, 난소암, 췌장암, 요관 및 신장암, 방광암, 담도암, 뇌암, 소장암 등
Amsterdam II criteria for Lynch syndrome
• 최소 3명의 린치 증후군 관련암을 갖고 있는 친척이 있어야 함. • 한 명은 다른 두 명과 일촌 관계이어야 함. • 최소 두 개의 연속된 세대가 영향을 받아야 함. • 최소 1명은 50세 이전에 진단되어야 함. • 가족성 선종성 용종증(Familial adenomatous polyposis)은 어느 경우이든 대장암 환자 증례에서 제외되어야 함. • 종양은 병리 검사를 통해 확인되어야 함.

C. 치료(Treatment)

i. 경과 관찰: 자궁내막양 자궁내막암 병기 IA 등급 1, 혹은 등급 2 인 종양은 비교적 예후가 양호하기 때문에 수술 후 추가 방사선치료는 필요하지 않다. 자궁근육층 침범이 없거나 다른 위험인자들이 없을 때는 추가 치료를 하지 않는다.

ii. 수술 치료: 개복술(하부 종절개), 최수침습수술(minimally invasive surgery: 로봇수술, 복강경 수술)[24]

① 복강내 세포세척검사, 자궁절제술 및 양측 자궁부속기절제술, 병기 설정술

② 비자궁내막양(non-endometrioid) 암 환자에서는 충수절제술, 대망 절제술 및 복막 조직검사를 함께 시행하기도 한다.

③ 상황에 따라 감시림프절(sentinel lymph node) 생검을 시행하여 불필요한 림프절 절제술을 생략할 수도 있다.

iii. 방사선치료

① 자궁내막암 환자에서 수술적 병기 결정이 이루어진 후에는 병리조직 검사 결과에 따라서 수술 후 보조요법을 결정한다.

② 림프절에 대한 수술적 평가 시행 여부와 함께 조직학적 등급, 자궁근층의 침윤 깊이, 병리학적 유형, 나이, 림프혈관강 침윤, 림프절 전이 등과 같은 예후 인자 등이 보조요법 시행 여부 결정에 사용된다.

③ 병기 및 위험인자에 따라 저위험군, 중간위험군, 고위험군으로 분류되며 임상시험에 따라 정의가 다르다. 유럽암학회-유럽부인종양학회-유럽방사선종양학회(ESMO-ESGO-ESTRO)은 2016년 공동 발간한 지침에서 위험군을 표 3-9와 같이 정의하였다.[25-27]

표 3-9. 자궁내막암의 위험군 분류

위험군	정의	근거수준
저(low)	병기 I기 자궁내막양, 분화도 1-2, 자궁근층 침범 <50%, 림프혈관강 침범 음성	I
중간(Intermediate)	병기 I기 자궁내막양, 분화도 1-2, 자궁근층 침습 ≥50%, 림프혈관강 침범 음성	I
고-중간 (High-intermediate)	병기 I기 자궁내막양, 분화도 3, 자궁근층 침범 <50% (림프혈관강 침범 상태와 무관)	I
	병기 I기 자궁내막양, 분화도 1-2, 명백한 림프혈관강 침범 (근육층 침습 깊이와 무관)	II
고(High)	병기 I기 자궁내막양, 분화도 3, 자궁근층 침범 ≥50% (림프혈관강 침범 상태와 무관)	I
	병기 II기	I
	병기 III기 자궁내막양, 잔여 병변 없음	I
	비자궁내막양 종양(장액, 투명세포, 또는 미분화 암종 또는 암육종)	I
진행성(Advanced)	잔여병변이 있는 병기 III기 병기 IVA기	I
전이성(Metastatic)	병기 IVB기	I

FIGO 2009 병기분류에 따름.

④ 방사선 치료 종류

(ㄱ) 질 근접방사선 치료(vaginal brachytherapy)

i. 질 근접방사선치료는 질 재발을 유의하게 감소시킨다.

(ㄴ) 골반 방사선 치료(external pelvic radiation)

i. 병기설정술을 받은 환자 중에서 골반림프절 음성으로 판명된 환자들은 질 근접 방사선치료만으로 대부분 치료되는 반면 골반림프절 양성인 환자들은 골반, 대동맥주위 림프절 방사선치료가 효과적이다.

ii. 병기설정술(surgical staging)을 받지 않는 환자 중에 골반 복부 CT에서 림프절 음성, CA125가 정상이면서 고위험 인자를 가진 환자들을 위한 합리적인 치료 선택이다.

(ㄷ) 확대 방사선치료(extended field radiation)

i. 대동맥주위 림프절 전이가 확인된 환자에서 확대 방사선치료를 시행하도록 권고한다.

iv. **보조 항암화학요법**(adjuvant chemotherapy)[28,29]

A. 진행된 병기와 고위험 초기 암에서 수술 후 추가적으로 사용되고 있다.

B. 진행성 병기에서 수술후 보조요법으로 항암화학요법은 반드시 필요하며 방사선 치료는 국소 재발을 억제하는데 효과적이다.

C. Doxorubicin + Platinum (AP), Paclitaxel + Doxorubicin + platinum (TAP), Paclitaxel + platinum (TP), Paclitaxe + Cisplatin + Epirubicin등 다양하게 연구되었으나, 최근 platinum 기반 항암화학요법의 이득이 밝혀졌다.

v. **보조 프로게스틴**(adjuvant progestin)

① 수술 후 보조 프로게스틴 치료에 대한 효과에 대해서는 정립된 바 없다.

표 3-10. 수술 후 초기 자궁내막암에서 보조치료

병기 IA	자궁근층 침범	등급	NCCN guideline	부인종양학회 진료권고안	MSKCC
IA	없음	1,2	위험인자 없으면 경과관찰	위험인자 없으면 경과관찰	위험인자 없으면 경과관찰
				위험인자 있으면 경과관찰 또는 질근접 방사선치료	
	없음	3	질근접방사선치료	위험인자 없으면 경과관찰 또는 질근접 방사선치료	질 근접방사선치료
			림프혈관강침윤 없으면 경과 관찰 고려 가능	위험인자 있으면 경과관찰 또는 질근접 방사선치료 그리고/또는 골반 방사선치료	위험인자 없으면 경과 관찰 가능
	0〈, 〈50%	1,2	경과관찰(우선)	위험인자 없으면 경과관찰 또는 질근접 방사선치료	질근접방사선치료 또는 관찰
			위험인자 있으면 질근접 방사선치료	위험인자 있으면 경과관찰 또는 질근접 방사선치료 그리고/또는 골반 방사선치료	
	0〈, 〈50%	3	질근접 방사선치료 (우선)	위험인자 없으면 경과관찰 또는 질근접 방사선치료	질근접방사선치료
				위험인자 있으면 경과관찰 또는 질근접 방사선치료 그리고/또는 골반 방사선치료	
IB	≥50%	1,2	질근접 방사선치료 (우선)	위험인자 없으면 경과관찰 또는 질근접 방사선치료	질근접방사선치료
			위험인자 없으면 경과관찰 고려	위험인자 있으면 경과관찰 또는 질근접 방사선치료 그리고/또는 골반 방사선치료	
	≥50%	3	질근접방사선치료 그리고/또는 골반 방사선치료 ± 항암화학요법	위험인자 없으면 질근접방사선치료 또는 경과관찰	질근접방사선치료
				위험인자 있으면 질 근접방사선치료 그리고/또는 골반 방사선치료 ± 항암화학요법	중-고 위험군일 경우 골반 방사선치료
II	무관	1,2	질근접방사선치료 그리고/또는 골반 방사선치료	골반방사선치료 그리고/또는 질근접방사선치료	질근접방사선치료
				골반 방사선치료 ± 질근접방사선치료 ± 항암화학요법	자궁경부침범 ≥50%일 경우 골반 방사선치료
	무관	3	골반 방사선치료 ± 질근접방사선치료 ± 항암화학요법	골반 방사선치료 그리고 질근접방사선치료 ± 항암화학요법	질근접방사선치료
					자궁경부침범 ≥50%일 경우 또는 중-고 위험군일 경우 골반 방사선치료

※ 위험인자 : 60세 이상, 림프혈관강침윤, 자궁하부침윤 등

D. 가임력 보존 치료(Fertility sparing treatment)

i. 자궁내막암은 때로 젊은 여성에서도 발견되며 대부분 다낭성난소 증후군 및 만성 무배란과 관련이 있으며 등급이 좋고 자궁내막에 국한된 경우가 많다. 자궁절제술이 자궁내막암의 가장 효과적인 표준치료이지만 이는 영구적인 가임력의 상실을 수반한다.[30,31]

ii. 그렇기 때문에, 가임력 보존 치료는 자궁내막암의 표준 치료가 아님에 대하여 충분히 환자와 면담을 거친 후 결정되어야 하며, 치료 전 상담을 통하여 치료가 효과적이지 않은 것으로 판단되거나 병변이 진행하는 경우 혹은 출산을 모두 완료한 경우에 자궁절제술을 포함한 외과적 병기설정술이 필요할 수 있음을 환자에게 설명해야 한다. 또한, 보존적 치료 시 난소와 같은 타 장기 전이 및 재발에 대한 진단이 늦어질 수 있으며 결과적으로 수술적 치료에 비해 예후가 나빠질 수 있음을 환자에게 주지시켜야 한다.[32]

표 3-11. 자궁내막암에서 보존적 치료 대상

질병 기준	1. 조직학적으로 확인된 자궁내막양의 자궁내막암
	2. 낮은 등급(grade 1)
	3. 자궁내막에 국한된 종양
	4. MRI 상 자궁 근층 침범 없음
	5. 자궁 외 전이 없음
환자 기준	6. 가임력 보존하고자하는 강한 희망
	7. 나이(40세 이하): 임신에 대한 상대적 기준
	8. 약물 사용 금지 사유 없음
	8. 보존적 치료는 표준치료가 아니며 재발 위험이 높음을 인지

표 3-12. 자궁내막암에서 보존적 치료 방법

Progestin 요법	Megesterol acetate	160-320 mg/day
	MPA (medroxyprogesterone acetate)	200-500 mg/day
	Progesterone-releasing IUD	
추적관찰	3~6개월 간격 자궁내막 평가 (흡인술보다는 소파술 권장)	

E. 재발 감시 및 추적 관찰(Surveillance and follow Up)

i. 치료 후 호르몬 대체요법(Hormone replacement treatment, HRT)[33]

① 자궁내막암 치료 후 여성호르몬 치료는 안전하다.

② 에스트로겐 단독요법, 에스트로겐과 프로게스틴 병합요법, 티볼론 요법 모두 재발 위험을 높이지 않으므로 폐경 증상이 있는 여성에서 사용이 가능하다.

ii. 대부분의 재발은 3년 이내에 발생하며 약 10%는 5년 이후에 발생한다.[34]

iii. 일차 치료와 추가 치료가 모두 끝난 환자는 첫 2년 동안은 3-6개월 간격으로 병원을 방문하게 하며 그 후로는 치료 후 5년까지 6개월 간격으로 방문하도록 한다.

iv. 재발 시 발현 가능한 증상에 대하여 환자에게 교육을 시키는 것도 잊지 말아야 한다.

v. 영상진단(흉부X선 검사, 초음파, CT, MRI, PET)을 시행한다.[35]

vi. CA-125는 자궁내막암의 추적관찰에 도움이 된다는 보고가 있으나 일상적인 추적관찰의 지표로 삼기에는 증거가 부족하다.[36]

vii. 재발 진단에 있어 질 세포검사의 효과는 불분명하다.

① 수술 후 방사선치료를 시행하지 않은 환자에서는 질원개부의 세포검사가 질전단부 재발을 조기 진단하는 데 도움이 된다는 주장이 있으나 질원개부 세포검사로 무증상 재발을 진단되는 경우는 매우 적다.

F. 재발(Recurrence)

i. 초기 자궁암 환자는 약 15%, 진행성 자궁암에서는 50%까지 재발이 확인된다.

ii. 70%의 재발이 골반 밖에서 일어난다.

iii. 모든 재발 환자의 34%가 일차 치료 후 1년 이내에 발견되었고, 76%는 3년 이내에 발견되었다.[37]

iv. 치료 종류

① 수술적 치료

② 방사선 치료

③ 항암화학 치료

(ㄱ) 카보플라틴과 파클리탁셀의 병합요법이 흔히 사용된다.

(ㄴ) 백금 항암제(-platin)

(ㄷ) 탁센(taxanes)

(ㄹ) 안트라사이클린(anthracyclines)

④ 호르몬 치료

(ㄱ) 프로게스테론제제

(ㄴ) 타목시펜

⑤ 표적 치료(targeted agent)

(ㄱ) 베바시주맙(Bevacizumab)

(ㄴ) 표유류라파마이신 억제제(mammalian target of rapamycin, mTOR inhibitor)

(ㄷ) 면역관문억제제(Immune-checkpoint inhibitor): 펨브롤리주맙, 펨브롤리주맙+렌바티닙 병용요법

3. 자궁육종(Uterine sarcoma)

A. 조직학

자궁육종의 가장 흔한 두가지 조직학적 형태는 자궁평활근육종(leiomyo-sarcoma, LMS)과 자궁내막 기질육종(endometrial stromal sarcoma, ESS)이다.[21]

표 3-13. 자궁육종의 WHO 분류, 2013

중간엽 종양(mesenchymal tumors)
자궁 평활근육종(leiomyosarcoma) 상피모양 자궁 평활근육종(epitheloid leiomyosarcoma) 점액성 자궁 평활근육종(myxoid leiomyosarcomas)
자궁내막간질종양(endometrial stromal and related tumors) 자궁내막 간질성 결절(endometrial stromal nodule) 저등급 자궁내막간질육종(low-grade endometrial stromal sarcoma) 고등급 자궁내막간질육종(high-grade endometrial stromal sarcoma) 미분화 자궁육종(undifferentiated uterine sarcoma) 난소 성끈기질종양 유사 자궁종양(uterine tumor resembling ovarian sex cord tumor)
기타 중간엽종양 횡문근육종(rhabdomyosarcoma)
혼합성 상피성-중간엽 종양(mixed epithelial and mesenchymal tumors)
선육종(adenosarcoma)
암육종(carcinosarcoma)

i. 평활근육종(Leiomyosarcoma)[38]

① 병기설정(Staging)

표 3-14. 자궁평활근육종과 자궁내막간질육종의 FIGO 병기설정

병기	정의	
I	자궁에 국한된 종양	I A: ≤5 cm I B: 〉5 cm
II	자궁을 벗어났으나 골반에 국한된 종양	II A: 자궁부속기 침범 II B: 다른 골반 조직 침범
III	복부 조직을 침범한 종양 (단순히 복부 내부로 돌출된 것은 아님)	III A: 한 가지 부위 III B: 두 가지 이상의 부위 III C: 골반 그리고/혹은 대동맥주위 림프절로 전이
IV		IV A: 방광 그리고/혹은 직장으로 침범한 종양 IV B: 원격전이

② 자궁평활근육종 환자의 평균 연령은 54세(43-63세)이고, 폐경 전 여성들의 생존율이 더 높다.

③ 출산력과 무관하다고 알려져 있다.

④ 자궁근종에서 자궁육종성 변화의 빈도는 0.13-0.81%로 보고되고 있다.

⑤ 증상: 비특이적으로 질 출혈, 골반통 또는 압박감, 만져지는 복부 종괴 등이 있다.

⑥ 예후인자: 연령, 병기 및 유사분열 수(mitotic count) 등이다.

⑦ 평균 5년 생존율: 20-63(평균 47)%이며 1기인 젊은 여성의 생존율이 가장 높은 반면 고령이면서 진행된 병기에서는 생존율이 가장 낮다.

⑧ 치료법

(ㄱ) 폐경 후 여성과 자궁 외 병변을 가진 여성에게는 양측 부속기 절제술을 시행한다.[39,40]

(ㄴ) 폐경 전 여성에서 난소 보존은 재발률을 증가시키지 않는다.

(ㄷ) 병기결정을 위한 림프절 절제술 시행에 대해서는 이견이 있지

만 의심스러운 림프절에 대해서는 조직검사를 시행할 것이 권고되고 있다.

(ㄹ) 병변이 자궁 밖으로 퍼진 경우나 폐 등으로 원격전이가 있는 환자에서도 종양의 완전한 절제는 생존율을 증가시킬 수 있다고 알려져 있다.[41]

(ㅁ) 수술 중 세절술(morcellation)은 재발률과 사망률을 증가시키기 때문에 시행하지 않는다.[42]

(ㅂ) 재발성 전이성 환자들에게 사용가능한 단일요법 항암제제로는 doxorubicin과 ifosfamide가 비교적 좋은 효과를 보인다. 병합요법으로는 gemcitabine/docetaxel 병합 요법 또는 doxorubicin/ifosfamide/dacarbazine의 병합요법이 진행된 자궁평활근육종에서 각각 53%, 30%의 치료 반응률을 보였다.[43]

(ㅅ) 자궁평활근육종 여성에서 수술 후 골반 방사선 치료는 이점이 없다고 보고되어 근치적 절제술을 한 초기 환자에서 수술 후 방사선 요법은 추천되지 않는다.[44]

ii. **자궁내막간질육종**(Endometrial stromal sarcoma)

① 주로 45~50세의 폐경 전후 여성에서 발생하고, 약 1/3은 폐경 후 여성에서 발생한다.

② 가장 흔한 증상은 비정상 자궁 출혈이며 그 외 복통과 골반 종괴로 인한 압박감 등이 있다.

③ 진단은 자궁내막 생검을 통해 가능은 하지만 보통 자궁근종 의심 하에 수술한 후 발견된다.

④ 2014 WHO classification[45]: 세포의 비정형성, 유사분열 정도, 혈관침범과 같은 조직학적 기준에 따라 저등급(low-grade) 또는 고등급(high-grade) 자궁내막간질육종 두 가지 형태로 분류된다.

(ㄱ) 자궁내막간질결절(Endometrial stromal nodule, ESN): 드문 질병으로 양성 종양이다.

(ㄴ) 저등급 자궁내막간질육종(Low-grade endometrial stromal sarcoma, LG-ESS): 절반 정도에서 JAZF1-SUZ12를 동반한다.

(ㄷ) 고등급 자궁내막간질육종(High-grade endometrial stromal sarcoma, HG-ESS): YWHAE-FAM22A/B의 유전적 재배열을 동반한다.

(ㄹ) 미분화 자궁육종(Undifferentiated uterine sarcoma, USS): 고등급 ESS 중 YWHAE-FAM22A/B의 유전적 재배열이 없는 병변이다.

⑤ 병기설정(Staging)

표 3-15. 자궁 선육종의 FIGO 병기설정

병기	정의	
I	자궁에 국한된 종양	I A: 자궁근육층 침범없이 자궁내막 및 자궁경관에 국한된 종양 I B: 자궁근육층을 1/2 이하로 침범 I C: 자궁근육층을 1/2 초과하여 침범
II	자궁을 벗어났으나 골반에 국한된 종양	II A: 자궁부속기 침범 II B: 다른 골반 조직 침범
III	복부 조직을 침범한 종양 (단순히 복부 내부로 돌출된 것은 아님)	III A: 한 가지 부위 III B: 두 가지 이상의 부위 III C: 골반 또는 대동맥주위 림프절로 전이
IV		IV A: 방광 또는 직장으로 침범한 종양 IV B: 원격 전이

⑥ 치료법:

(ㄱ) 수술적 절제: 자궁절제술은 필수이며 추가적으로 자궁부속기 전이가 흔하고 에스트로겐의 자극을 차단하기 위하여 양측 자궁부속기 절제술 역시 반드시 시행하여야 한다. 커져 있는 림프절이 없고 자궁외 종양이 보이지 않는다면 림프절절제는 생략

할 수 있다. 수술 후 종양이 잔존하는 경우 방사선 치료를 고려할 수 있다.

(ㄴ) 재발성 전이성 종양의 수술적 치료, 방사선치료, 호르몬 치료 모두 가능하다.

참고문헌

1. Gordon MD, Ireland K. Pathology of hyperplasia and carcinoma of the endometrium. Semin Oncol 1994;21:64-70.
2. Kurman RJ, Kaminski PF, Norris HJ. The behavior of endometrial hyperplasia. A long-term study of "untreated" hyperplasia in 170 patients. Cancer 1985;56:403-12.
3. Zaino RJ, Kurman R, Herbold D, Gliedman J, Bundy BN, Voet R, et al. The significance of squamous differentiation in endometrial carcinoma. Data from a Gynecologic Oncology Group study. Cancer 1991;68:2293-302.
4. Baak JP, Mutter GL. EIN and WHO94. J Clin Pathol 2005;58:1-6.
5. Ota T, Yoshida M, Kimura M, Kinoshita K. Clinicopathologic study of uterine endometrial carcinoma in young women aged 40 years and younger. Int J Gynecol Cancer 2005;15:657-62.
6. Cheng WF, Lin HH, Torng PL, Huang SC. Comparison of endometrial changes among symptomatic tamoxifen-treated and nontreated premenopausal and postmenopausal breast cancer patients. Gynecol Oncol 1997;66:233-7.
7. Armstrong AJ, Hurd WW, Elguero S, Barker NM, Zanotti KM. Diagnosis and management of endometrial hyperplasia. J Minim Invasive Gynecol 2012;19:562-71.
8. Gull B, Karlsson B, Milsom I, Granberg S. Can ultrasound replace dilation and curettage? A longitudinal evaluation of postmenopausal bleeding and transvaginal sonographic measurement of the endometrium as predictors of endometrial cancer. Am J Obstet Gynecol 2003;188:401-8.
9. Randall TC, Kurman RJ. Progestin treatment of atypical hyperplasia and well-differentiated carcinoma of the endometrium in women under age 40. Obstet

Gynecol 1997;90:434-40.

10. Baker J, Obermair A, Gebski V, Janda M. Efficacy of oral or intrauterine device-delivered progestin in patients with complex endometrial hyperplasia with atypia or early endometrial adenocarcinoma: a meta-analysis and systematic review of the literature. Gynecol Oncol 2012;125:263-70.
11. Di Saia P, Crasman W, Mannel R, McMeekin S, Mutch D. Endometrial Hyperplasia, Estrogen Therapy, and the Prevention of Endometrial Cancer. Clinical Gynecologic Oncology, 9th ed. 9th ed. Elsevier; 2018.
12. Torre LA, Bray F, Siegel RL, Ferlay J, Lortet-Tieulent J, Jemal A. Global cancer statistics, 2012. CA Cancer J Clin 2015;65:87-108.
13. Amant F, Mirza MR, Koskas M, Creutzberg CL. Cancer of the corpus uteri. Int J Gynaecol Obstet 2018;143 Suppl 2:37-50.
14. Brinton LA, Felix AS, McMeekin DS, Creasman WT, Sherman ME, Mutch D, et al. Etiologic heterogeneity in endometrial cancer: evidence from a Gynecologic Oncology Group trial. Gynecol Oncol 2013;129:277-84.
15. Creasman W. Revised FIGO staging for carcinoma of the endometrium. Int J Gynaecol Obstet 2009;105:109.
16. Obermair A, Geramou M, Gücer F, Denison U, Graf AH, Kapshammer E, et al. Impact of hysteroscopy on disease-free survival in clinically stage I endometrial cancer patients. International Journal of Gynecological Cancer 2000;10:275-9.
17. Zerbe MJ, Bristow R, Grumbine FC, Montz FJ. Inability of preoperative computed tomography scans to accurately predict the extent of myometrial invasion and extracorporal spread in endometrial cancer. Gynecol Oncol 2000;78:67-70.
18. Chung HH, Kang SB, Cho JY, Kim JW, Park NH, Song YS, et al. Accuracy of MR imaging for the prediction of myometrial invasion of endometrial carcinoma. Gynecol Oncol 2007;104:654-9.
19. Hendrickson M, Ross J, Eifel P, Martinez A, Kempson R. Uterine papillary serous carcinoma: a highly malignant form of endometrial adenocarcinoma. Am J Surg Pathol 1982;6:93-108.
20. Christopherson WM, Alberhasky RC, Connelly PJ. Carcinoma of the endometrium: I. A clinicopathologic study of clear-cell carcinoma and secretory

carcinoma. Cancer 1982;49:1511-23.

21. Hosh M, Antar S, Nazzal A, Warda M, Gibreel A, Refky B. Uterine Sarcoma: Analysis of 13,089 Cases Based on Surveillance, Epidemiology, and End Results Database. Int J Gynecol Cancer 2016;26:1098-104.
22. Modesitt SC. Missed opportunities for primary endometrial cancer prevention: how to optimize early identification and treatment of high-risk women. Obstet Gynecol 2012;120:989-91.
23. Zauber NP, Denehy TR, Taylor RR, Ongcapin EH, Marotta SP, Sabbath-Solitare M, et al. Microsatellite instability and DNA methylation of endometrial tumors and clinical features in young women compared with older women. Int J Gynecol Cancer 2010;20:1549-56.
24. Walker JL, Piedmonte MR, Spirtos NM, Eisenkop SM, Schlaerth JB, Mannel RS, et al. Laparoscopy compared with laparotomy for comprehensive surgical staging of uterine cancer: Gynecologic Oncology Group Study LAP2. J Clin Oncol 2009;27:5331-6.
25. Blake P, Swart AM, Orton J, Kitchener H, Whelan T, Lukka H, et al. Adjuvant external beam radiotherapy in the treatment of endometrial cancer (MRC ASTEC and NCIC CTG EN.5 randomised trials): pooled trial results, systematic review, and meta-analysis. Lancet 2009;373:137-46.
26. Kumar S, Shah JP, Bryant CS, Awonuga AO, Imudia AN, Ruterbusch JJ, et al. Second neoplasms in survivors of endometrial cancer: impact of radiation therapy. Gynecol Oncol 2009;113:233-9.
27. Colombo N, Creutzberg C, Amant F, Bosse T, Gonzalez-Martin A, Ledermann J, et al. ESMO-ESGO-ESTRO Consensus Conference on Endometrial Cancer: Diagnosis, Treatment and Follow-up. Int J Gynecol Cancer 2016;26:2-30.
28. Hogberg T, Signorelli M, de Oliveira CF, Fossati R, Lissoni AA, Sorbe B, et al. Sequential adjuvant chemotherapy and radiotherapy in endometrial cancer--results from two randomised studies. Eur J Cancer 2010;46:2422-31.
29. Johnson N, Bryant A, Miles T, Hogberg T, Cornes P. Adjuvant chemotherapy for endometrial cancer after hysterectomy. Cochrane Database Syst Rev 2011:Cd003175.
30. Lee SW, Lee TS, Hong DG, No JH, Park DC, Bae JM, et al. Practice guide-

lines for management of uterine corpus cancer in Korea: a Korean Society of Gynecologic Oncology Consensus Statement. J Gynecol Oncol 2017;28:e12.
31. Chiva L, Lapuente F, Gonzalez-Cortijo L, Carballo N, Garcia JF, Rojo A, et al. Sparing fertility in young patients with endometrial cancer. Gynecol Oncol 2008;111:S101-4.
32. Huang SY, Jung SM, Ng KK, Chang YC, Lai CH. Ovarian metastasis in a nulliparous woman with endometrial adenocarcinoma failing conservative hormonal treatment. Gynecol Oncol 2005;97:652-5.
33. Shim SH, Lee SJ, Kim SN. Effects of hormone replacement therapy on the rate of recurrence in endometrial cancer survivors: a meta-analysis. Eur J Cancer 2014;50:1628-37.
34. Kwon JS, Elit L, Saskin R, Hodgson D, Grunfeld E. Secondary cancer prevention during follow-up for endometrial cancer. Obstet Gynecol 2009;113:790-5.
35. Hunn J, Tenney ME, Tergas AI, Bishop EA, Moore K, Watkin W, et al. Patterns and utility of routine surveillance in high grade endometrial cancer. Gynecol Oncol 2015;137:485-9.
36. Fanning J, Piver MS. Serial CA 125 levels during chemotherapy for metastatic or recurrent endometrial cancer. Obstet Gynecol 1991;77:278-80.
37. Aalders JG, Abeler V, Kolstad P. Recurrent adenocarcinoma of the endometrium: a clinical and histopathological study of 379 patients. Gynecol Oncol 1984;17:85-103.
38. Giuntoli RL, 2nd, Metzinger DS, DiMarco CS, Cha SS, Sloan JA, Keeney GL, et al. Retrospective review of 208 patients with leiomyosarcoma of the uterus: prognostic indicators, surgical management, and adjuvant therapy. Gynecol Oncol 2003;89:460-9.
39. Giuntoli RL, 2nd, Metzinger DS, DiMarco CS, Cha SS, Sloan JA, Keeney GL, et al. Retrospective review of 208 patients with leiomyosarcoma of the uterus: prog- nostic indicators, surgical management, and adjuvant therapy. Gynecol Oncol 2003;89:460-9.
40. Gadducci A. Prognostic factors in uterine sarcoma. Best Pract Res Clin Obstet Gynaecol 2011;25:783-95.
41. Seagle BL, Sobecki-Rausch J, Strohl AE, Shilpi A, Grace A, Shahabi S. Prognosis and treatment of uterine leiomyosarcoma: A National Cancer Database

study. Gynecol Oncol 2017;145:61-70.

42. Ricci S, Stone RL, Fader AN. Uterine leiomyosarcoma: Epidemiology, contemporary treatment strategies and the impact of uterine morcellation. Gynecol Oncol 2017;145:208-16.
43. Littell RD, Tucker LY, Raine-Bennett T, Palen TE, Zaritsky E, Neugebauer R, et al. Adjuvant gemcitabine-docetaxel chemotherapy for stage I uterine leiomyosarcoma: Trends and survival outcomes. Gynecol Oncol 2017;147:11-7.
44. Reed NS, Mangioni C, Malmstrom H, Scarfone G, Poveda A, Pecorelli S, et al. Phase III randomised study to evaluate the role of adjuvant pelvic radiotherapy in the treatment of uterine sarcomas stages I and II: an European Organisation for Research and Treatment of Cancer Gynaecological Cancer Group Study (protocol 55874). Eur J Cancer 2008;44:808-18.
45. Conklin CM, Longacre TA. Endometrial stromal tumors: the new WHO classification. Adv Anat Pathol 2014;21:383-93.

4
SECTION

질과 외음

1. 질 상피내종양의 분류(Classification of vaginal intraepithelial neoplasia)

질 상피내종양은 질 내부의 편평세포 층에 침습없는 비정형세포가 존재하는 것이다(그림 4-1). 질 상피내종양은 표 4-1과 같이 분류한다.

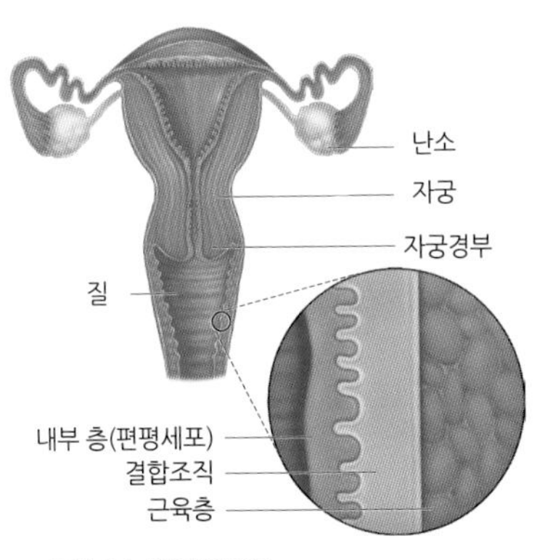

■ 그림 4-1. 질의 모식도

표 4-1. 질 상피내종양의 분류[1]

2014 WHO Classification (LAST Terminology)	2003 WHO classification	Synonyms
Low-grade Squamous Intraepithelial Lesion (LSIL)	VAIN 1 Condyloma Koilocytotic atypia	Mild Dysplasia Condyloma Koilocytotic atypia Koilocytosis
High-grade Squamous Intraepithelial Lesion (HSIL)	VAIN 2 VAIN 3	Moderate Dysplasia Severe Dysplasia Carcinoma in situ Bowen's disease Bowenoid Dysplasia

질 상피내종양 병변은 보통 질확대경 검사를 통한 조직검사로 진단한다. 질벽의 확대경검사가 필요한 경우는 표 4-2와 같이 정리할 수 있다.

표 4-2. 질벽의 확대경검사가 필요한 경우

1. 자궁경부 상피내종양의 성공적 치료 후 비정상 세포검사 결과
2. 전자궁절제술 후 질 둥근천장에서의 비정상 세포검사 결과
3. 질확대경에서 정상 자궁경부 소견을 보인 경우에서 비정상 세포검사 결과
4. 면역 억제 상태에서 고등급 자궁경부 상피내종양 발견 시
5. 외음 고등급상피내종양이 진단된 경우
6. 육안 소견으로 질벽에 이상 소견이 발견될 때
7. 자궁내 diethylstilbestrol의 노출이 의심 혹은 확인될 때
8. 다발성 인유두종바이러스 감염이 진단되거나 치료를 받은 경우
9. 침윤 자궁경부암이 진단된 경우

2. 질 상피내종양의 치료(Treatment of vaginal intraepithelial neoplasia)[2]

표 4-3. 질 상피내종양의 치료 방법

Technique		Efficacy	Reference
Surgical Treatment	Local Excision Partial Vaginectomy Total Vaginectomy	Recurrence: 18% (range: 0–50)	[3]
Ablation	CO_2 Laser	Recurrence: 24%	[4]
Topical Therapy	5% Imiquimod	No recurrence: 94.3% (95% CI: 29.5–93.6)	[5]
	Fluorouracil	No recurrence: 74%	[6]
Radiation therapy		Success rate: 88%	[7]

3. 질암의 병기설정(Staging of vaginal cancer)[2]

질암은 자궁경부암과 같이 임상검사를 통해 병기를 설정하게 된다. 질은 해부학적으로 방광, 요도 및 직장과 인접해 있으므로 치료 전 방광경 검사(Cystoscopy), 직장경 검사(Sigmoidoscopy) 및 정맥신우조영술(Intravenous pyelogram)을 시행해야 하며 그 외 다음과 같은 검사를 시행해야 한다.

(ㄱ) MRI: 종괴의 크기, 질 옆 또는 자궁방 조직 침범 여부 확인하는 데 뛰어남

(ㄴ) PET-CT: 자궁경부암처럼 림프절 침범을 확인하는 데 다른 영상 검사보다 뛰어남

표 4-4. 질암의 FIGO 병기

<table>
<tr><td>I</td><td colspan="2">질에 국한</td></tr>
<tr><td>II</td><td colspan="2">질하 조직 침습, 골반벽 침습 없음</td></tr>
<tr><td>III</td><td colspan="2">골반벽 침습</td></tr>
<tr><td rowspan="3">IV</td><td colspan="2">골반을 벗어난 조직으로 침습 또는 방광이나 직장 점막 침습</td></tr>
<tr><td>IVA</td><td>방광이나 직장 점막 침범 또는 골반 위로 직접 전이</td></tr>
<tr><td>IVB</td><td>원격 전이</td></tr>
</table>

FIGO, International Federation of Gynecology and Obstetrics.

4. 병기 I 질암

A. 질 상부 질환

i. Stage I 중 점막에 국한된 경우 수술을 시행(1 cm 경계)

① 자궁이 있는 경우 광범위 자궁절제술, 1 cm 경계를 둔 질절제술, 골반 림프절절제술을 시행

② 자궁이 없는 경우 광범위 질절제술, 골반 림프절절제술을 시행

B. 질 하부 질환

1 cm 경계를 둔 광범위 부분 절제술 및 양측 서혜부 림프절절제술

C. 난소 전위술(Ovarian transposition)

폐경 전 여성인 경우 방사선 치료로 인한 폐경을 예방하기 위해 시행해야 함

5. 병기 II, III, IV 질암

대부분의 경우 방사선 치료(외부조사방사선치료, EBRT + 강내근접치료,

ICRT)가 기본 치료이다.

A. 수술 치료

폐경 전 여성에서는 방사선 치료 시작 전 난소 전위술(Ovarian transposition)을 시행할 수 있으며 방광질 누공 또는 직장질 누공이 있는 경우 골반내용물적출술을 시행할 수 있다.

B. 방사선 치료

i. 외부조사방사선치료(EBRT)의 범위: 골반, 외장골 림프절 및 폐쇄 림프절을 반드시 포함 / 하부 질이 포함될 경우 서혜부 림프절을 포함

C. 동시항암화학방사선치료

6. 재발성 질환(Recurrent vaginal cancer)

A. 방사선 치료 시행 후 중심 재발(Central recurrence)

국소 재발인 경우 골반내용물적출술(Pelvic exenteration)을 시행할 수 있다.

B. 방광질 누공 또는 직장질 누공이 있는 재발

요로 전환술(Urinary diversion) 또는 잘룩창자장냄술(Colostomy) 시행 후 방사선 치료를 시행해야 한다.

7. 외음 상피내종양의 분류(Classification of vulvar intraepithelial neoplasia)

표 4-5. 국제질외음부질환학회(ISSVD)의 외음상피내종양 분류

2004 용어	2015 용어
	LSIL of the vulva (vulvar LSIL, flat condyloma, or HPV effect)
VIN, usual type Warty type Basaloid type Mixed (warty or basaloid) type	**HSIL** of the vulva (vulvar HSIL, VIN usual type)
VIN, differentiated type	**Differentiated VIN (dVIN)**

SIL indicates squamous intraepithelial lesion; LSIL, low-grade SIL; HPV, Human papillomavirus; HSIL, high-grade SIL, VIN, vulvar intraepithelial neoplasia

8. 외음 상피내종양의 치료(Treatment of vulvar intraepithelial neoplasia)

수술을 통한 절제술이 주된 치료 방법이지만 일부 환자에서는 약물을 이용한 소작술이 다른 치료 방법이 될 수 있다. 국소적 고등급 외음상피내종양은 광범위 국소 절제술, 표재성 외음절제술, 소작술 또는 국소 치료 등으로 치료를 시행할 수 있으며 병리 결과, 위험 인자, 위치, 질환의 범위 및 증상에 따라 치료 방법을 결정해야 한다.

A. 수술 치료

i. 표재성 외음절제술: 국소적 고등급 외음상피내종양(최소 5 mm의 경계면 필요)

ii. 광범위 국소절제술: 단발성 및 측면 병변의 고등급 병변 또는 침윤성 암의 가능성이 있는 경우

iii. 회전 피부판시술(Skin flap procedure): 경계면에 침윤암 가능성이 있는 경우, 크고 융합성 병변 또는 광범위한 다발성 질환의 경우

B. CO_2 레이저 소작술

i. 미용 상의 이점과 기능 보존에 효과적

ii. 젊은 여성의 경우 심각한 흉터와 해부학적 변형의 예방이 필요함

iii. 음핵 및 항문 주위의 병변 치료에 유용

C. 약물 소작술 - 5% Imiquimod

i. 지속 인유두종바이러스 감염의 제거 및 외음의 해부학적 구조 및 기능 보존

ii. 치료 전 침윤성 암 배제 필요

9. 외음암의 병기설정(Staging of vulvar cancer)[8]

표 4-6. 외음암의 FIGO 병기(2009)

FIGO 병기	Description
I	외음에 국한된 암
IA	종양크기≤2 cm, 병변위치: 외음이나 회음에 국한, 간질침윤: ≤1.0 mm[a], 림프절 전이: 없음
IB	종양크기〉2 cm, 병변위치: 외음이나 회음에 국한, 간질침윤: >1.0 mm[a], 림프절 전이: 없음
II	종양크기에 관계없이 주변 조직(요도 하부1/3, 질 하부 1/3, 항문)을 침범함 림프절 전이: 없음
III	종양크기나 주변 조직(요도 하부1/3, 질 하부 1/3, 항문)의 침범에 관계없이, 서혜-대퇴 림프절 전이 있음
IIIA	(i) 1-2개의 림프절 전이가 있음. 크기〈5 mm 또는 (ii) 1개의 림프절 전이가 있음. 크기≥5 mm
IIIB	(i) 3개 이상의 림프절 전이가 있음. 크기〈5 mm 또는 (ii) 2개 이상의 림프절 전이가 있음. 크기≥5 mm
IIIC	림프절 전이가 있고, 피막외침범(extracapsular extension) 있음
IV	종양이 국소적 침습(요도 상부 2/3, 질 상부 2/3)을 하였거나 원격 전이를 한 경우

IVA	(i) 종양이 요도 상부 2/3, 질 상부 2/3 침범, 방광점막, 직장 점막, 골반 뼈에 침범 (ii) 고정되어 있거나 궤양이 동반된 서혜-대퇴림프절 전이가 있음
IVB	골반림프절 전이를 포함한 원격전이가 있음

[a]The depth of invasion is defined as the measurement of the tumor from the epithelial-stromal junction of the adjacent most superficial dermal papilla to the deepest point of invasion.

10. 외음편평상피암종(Squamous cell carcinoma of vulva)

표 4-7. 외음암의 징후와 증상

가려움증
덩이
통증
출혈
궤양
배뇨통
분비물
서혜부덩이

외음편평세포암종을 갖고 있는 환자들의 증상은 표 4-7과 같으며 치료를 결정할 때 그림 4-2의 외음림프배액경로를 참고하여 치료를 시행해야 함

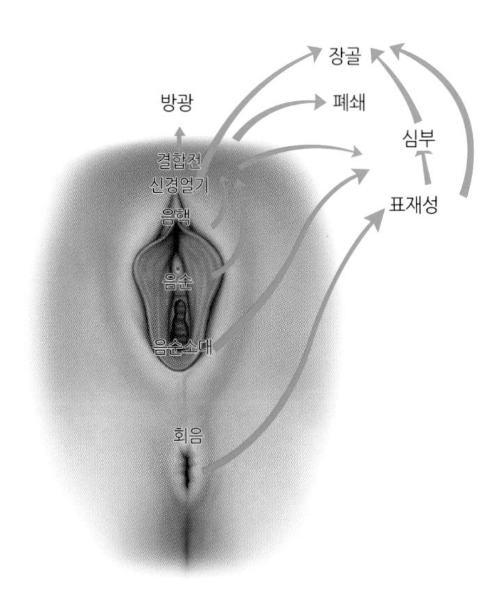

■ 그림 4-2. 외음림프배액 경로

광범위한 절제술로 인한 합병증의 증가와 환자의 삶의 질 저하에 대한 끊임없는 관심은 최근 외음암의 수술적 치료에 대한 페러다임을 다음과 같이 바뀌도록 하였다.

- 외음암 치료는 환자 상태에 따라 개별화하여 시행한다.
- 단일 종양이 있는 경우, 최대한 보존적 치료를 한다.
- 종양 크기가 2 cm 이하이고 간질 침윤이 1 mm 이하인 미세침윤암의 경우 서혜 림프절절제술을 시행하지 않는다.
- 림프절절제술을 할 때 병변부위와 함께 일괄(en block) 절제하는 피부절개술 대신 분리절개술(three incision)을 사용한다.
- 일괄적으로 모든 환자에게 골반림프절 절제술을 시행하지 않는다.
- 외측 종양크기가 2 cm 이하이고, 동측 서혜림프절 전이가 없는 경우, 반대측 서혜림프절절제술은 시행하지 않는다.
- 진행된 외음암으로 광범위한 수술이 필요한 환자에게 수술 전 방사선 치

료를 통해 병변을 줄인 후 보존적 수술을 고려한다.

- 다발성 서혜림프절 전이가 있는 환자의 서혜부 재발을 줄이고 생존율을 향상시키기 위해서 수술 후 방사선 치료(+항암화학요법)를 시행한다.
- 진행한 외음암 환자에서, 방사선 치료 전에 림프부종의 빈도를 줄이기 위해, 큰 서혜부와 골반 림프절전이 부분만 제거한다.
- 초기 외음암환자에서 서혜부 림프절절제술 대신 감시림프절 생검을 시행한다.

A. 초기 외음암

i. 원발 종양의 치료

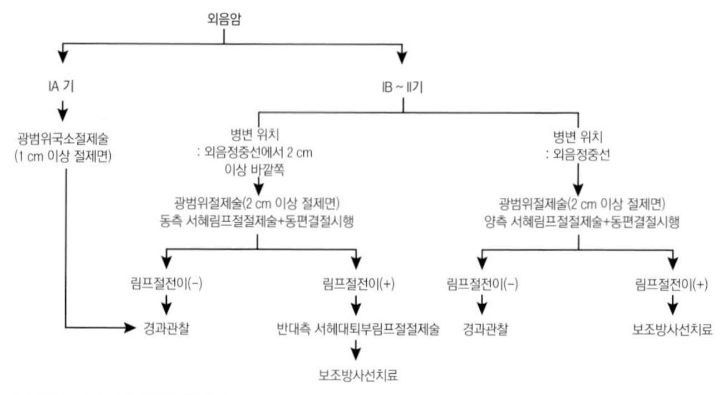

■ 그림 4-3. 초기 외음암 치료

ii. 서혜부 림프절 처치

초기 외음암의 수술 치료 이후 환자의 생존율과 이환율에 가장 큰 영향을 주는 것은 서혜 림프절절제술 시행 여부이다. 초기 외음암 환자에서 서혜 림프절절제술은 사망률을 감소시킬 수 있으나, 림프절절제술을 받았던 환자들의 약 50%에서 창상 감염, 파열, 림프부종, 림프수종이나 봉화직염과 같은 합병증이 발생하므로, 림프절절제술이 필요한 환자를 잘 선별하여 시행하는 것이 환자의 예후에도 중요하다.

① 서혜대퇴 림프절절제술(inguinofemoral lymphadenectomy)의 조건

- 종양의 크기 ≤2 cm / 간질 침윤이 〉1 mm
- 종양의 크기 〉2 cm

iii. 서혜부 박리 방법

서혜대퇴 림프절절제술은 장골극전상방(anterior superior iliac spine)과 치골결절(pubic tubercle) 사이를 8 cm 정도로 서혜인대(inguinal ligament)와 평행하게 피부를 절개하면서 시작된다. 서혜인대에서 손가락 두 개 정도 아래, 치골결절의 바깥쪽으로 손가락 두 개 정도의 위치에서 피부 절개를 시행한다.

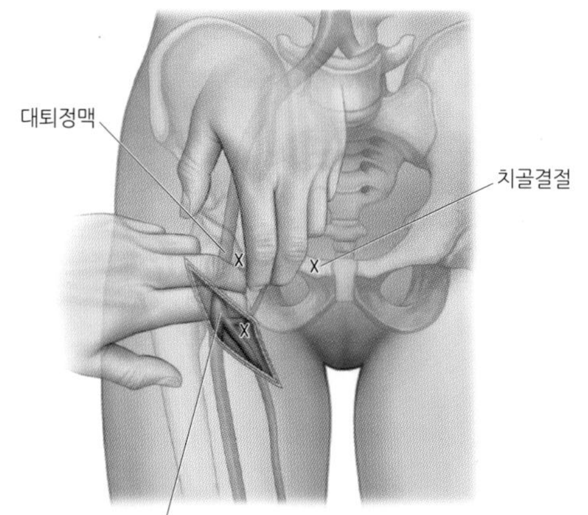

■ 그림 4-4. 서혜부 림프절 피부 절개 부위

캠퍼근막(camper fascia)을 지나 표재림프절이 포함되어 있는 지방체까지 이르도록 피부판의 위, 아래를 섬세하게 박리한다. 감시림프절은 캠퍼근막과 체근막(cribriform fascia) 사이의 지방층에 위치하며 대퇴근막(fascia lata) 아래로부터 돌출해 있다. 피부 괴사를 방지하기 위해서 캠퍼근막 위의 모든 피

하조직을 잘 보존해야 한다. 모든 서혜림프절이 제거 될 수 있도록 서혜인대 1 cm 상방까지 박리한다. 표재림프절절제술의 해부학적인 경계면은 위쪽으로 서혜인대 상방 1 cm, 외측 경계면은 넙다리빗근(sartorius muscle), 내측 경계면은 긴오음근(adductor longus muscle), 그리고 앞쪽으로는 얕은피하근막을 경계로 시행된다.

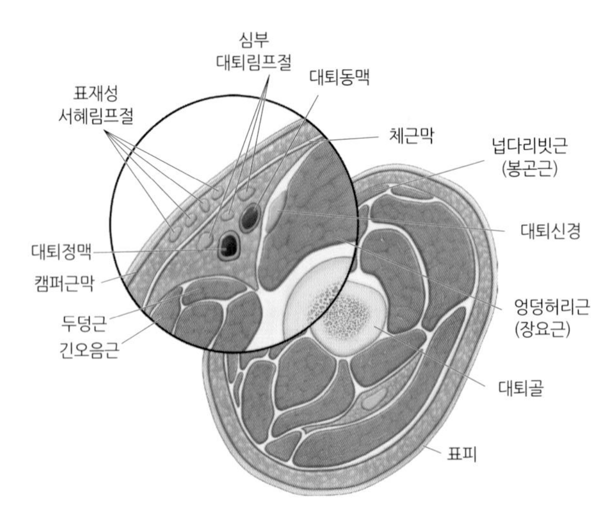

■ 그림 4-5. 표재서혜림프절, 심부대퇴림프절 주위 구조물

서혜대퇴 림프절절제술을 위해서 서혜인대 상방으로부터 헌터관(Hunter canal) 구멍의 약 2 cm 근위부까지 림프절 박리가 시행된다. 대퇴삼각(femoral triangle)을 덮고 있는 체근막에는 복재정맥(saphenous vein), 림프절과 수많은 림프혈관들이 관통하고 있다. 체근막을 걷어내면, 아래로 대퇴정맥(femoral vein)이 보이며, 내측에 대퇴림프절(femoral lymph node)이 있다.

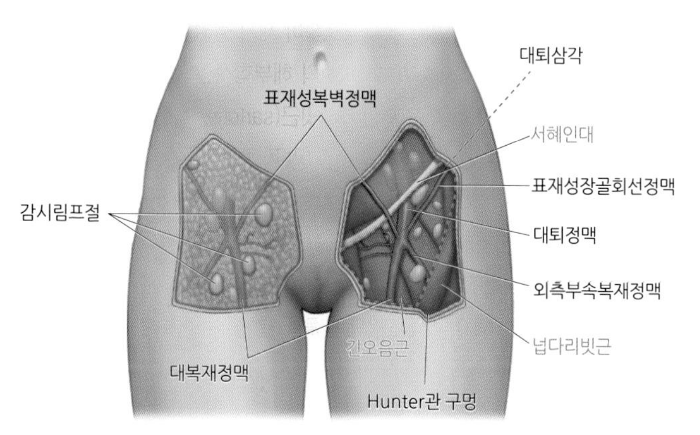

■ 그림 4-6. 서혜대퇴림프절 박리 모식도. 좌측 감시림프절(표재서혜림프절), 우측 심부대퇴림프절

iv. 감시림프절 검사

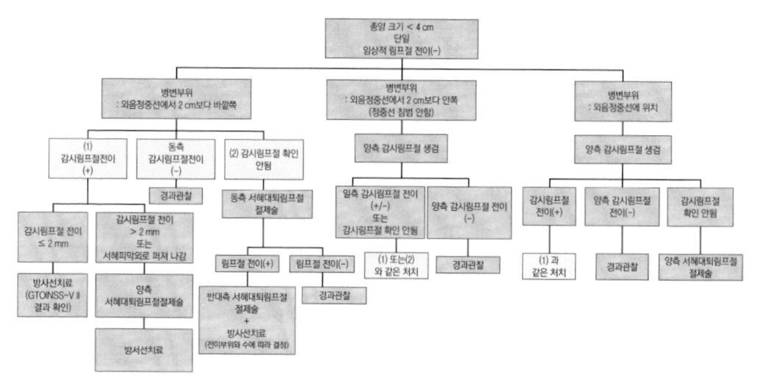

■ 그림 4-7. 감시림프절 상태에 따른 처치 모식도

v. 서혜림프절 전이가 있는 경우 처치

① 광범위 림프절절제술 이후 림프절 전이 부위 직경이 5 mm 이하인 미세전이가 단 한 개 존재할 경우, 추가 치료는 필요하지 않다.

② 임상적으로 림프절전이가 명확한 경우, 피막외(extracapsular)로 퍼져나간 경우, 혹은 미세전이가 2개 이상 존재하는 경우 양측 서혜와 골반 방사선치료를 시행한다.

③ 미세전이가 2개 관찰될 경우 추가 치료 여부에 대해서는 아직 결론을 맺지 못한 상태이다. 단, 경과 관찰을 할 경우, 수술 후 첫 6개월에서 12개월 동안 림프절절제술을 시행하지 않았던 반대측 서혜부에 초음파검사를 권고한다.

B. 진행성 외음암 치료

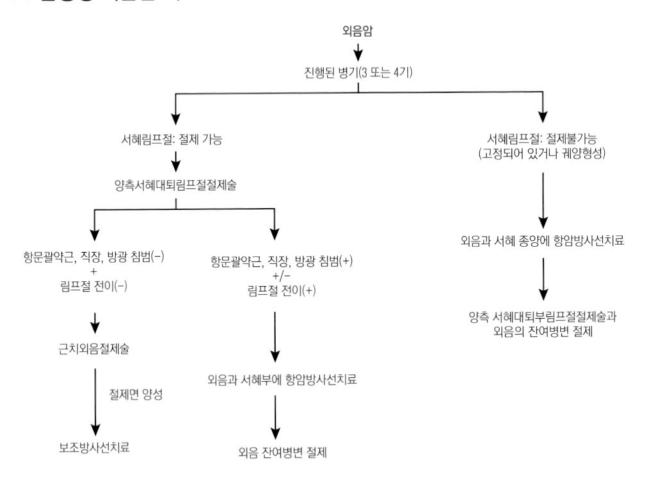

그림 4-8. 진행성 외음암 치료

i. 서혜부-골반 림프절 처치

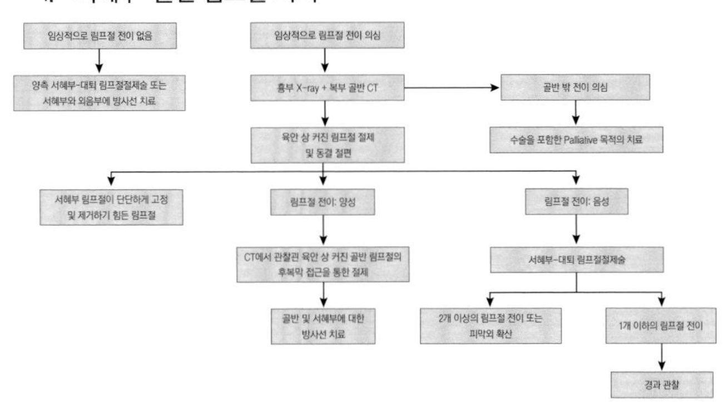

■ 그림 4-9. 림프절 상태에 따른 처치 방법 모식도

ii. 원발 종양의 처치

종양의 크기가 2 cm을 초과하여 주변 조직을 침범했을 때, 과거에는 서혜부를 덮고 있는 모든 피부와 외음에서 회음근막을 포함한 부위를 단일 피부 절개를 통해 병변으로 부터 최소 2 cm의 경계면을 가지는 근치외음절제술과 서혜림프절제술을 시행하였다.

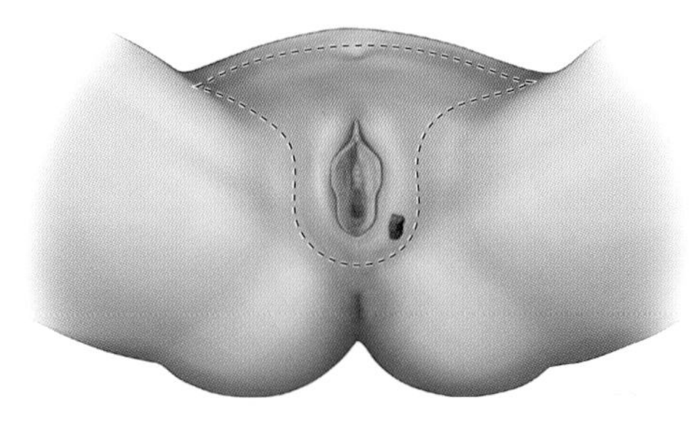

■ 그림 4-10. 일괄절개(en bloc resection)에 의한 근치외음절제술과 서혜림프절제술

이러한 방법은 창상 감염, 파열과 성기능 장애와 같은 이환율을 증가시

키고 피부절제면이 충분하지 못할 경우, 재발의 우려도 있으므로 최근에는 외음의 병변부위와 서혜림프절 절제부위의 피부절개를 각각 분리하여 시행하는 세군데절개술(three incision technique)을 통해 외음절개술과 서혜림프절제술을 시행한다.

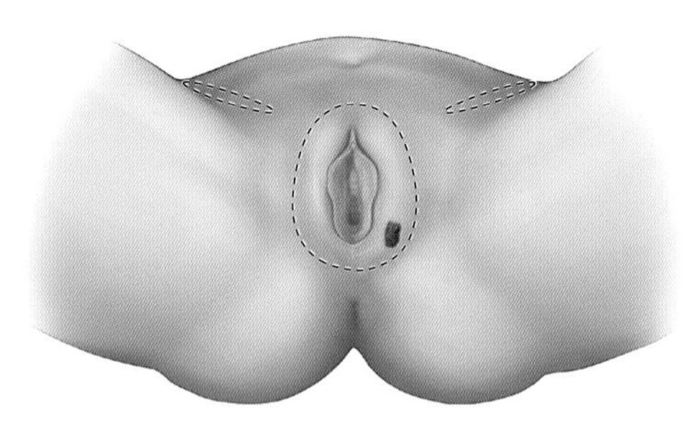

■ 그림 4-11. 분리절개술을 이용한 외음절개술과 서혜림프절제술

iii. 방사선 치료

① 진행성 외음암으로 일차 치료 목적(60–70 Gy) 또는 수술 후 보조적 치료 목적(40–50 Gy)으로 시행한다.

② 수술 후 2개 이상의 림프절 미세전이가 있거나 한 개의 큰 전이가 있거나 또는 서혜림프관을 벗어난 전이가 관찰된 경우, 골반과 서혜림프절에 시행한다.

③ 수술 절제면이 침범되어 있는 경우(수술 절제면 간격 〈5 mm), 국소재발을 예방하기 위해 시행한다.

11. 외음부 흑색종

A. 흑색종의 분류

i. 표재확산흑색종(superficial spreading melanoma): 발생초기에 주로 외음표면에 있다.

ii. 점막흑자흑색종(mucosal lentiginous melanoma): 납작한 주근깨 양상으로 꽤 넓게 퍼져있으나 역시 외음표면에만 있고, 가장 흔한 형태이다.

iii. 결절흑색종(nodular melanoma): 조직 깊이 침투하고, 넓게 전이하는 가장 공격적인 형태이다.

B. 흑색종의 병기

2017년 미국공동암위원회(American Joint Committee on Cancer, AJCC)에서 8번째 TNM 병기 설정 매뉴얼을 업데이트하였다.[9]

C. 흑색종의 치료

i. 병기 0 – 1기: 광범위국소절제술

① 침윤의 두께 ≤1 mm: 1 cm의 경계면

② 침윤의 두께 〉1 mm, 〈= 2 mm: 2 cm의 경계면

③ 서혜부-대퇴림프절절제술: 종양 두께가 1-4 mm인 경우 효과적

ii. 진행성 종양: 항암화학요법, 생물학제제 및 면역치료 고려

참고문헌

1. Darragh TM, Colgan TJ, Cox JT, Heller DS, Henry MR, Luff RD, et al. The Lower Anogenital Squamous Terminology Standardization Project for HPV-Associated Lesions: background and consensus recommendations from the College of American Pathologists and the American Society for Colposcopy and Cervical Pathology. Arch Pathol Lab Med 2012;136:1266-97.
2. Adams TS, Cuello MA. Cancer of the vagina. Int J Gynaecol Obstet 2018;143 Suppl 2:14-21.
3. Lathrop JC, Ree HJ, McDuff HC, Jr. Intraepithelial neoplasia of the neovagina. Obstet Gynecol 1985;65:91S-4S.
4. von Gruenigen VE, Gibbons HE, Gibbins K, Jenison EL, Hopkins MP. Surgical treatments for vulvar and vaginal dysplasia: a randomized controlled trial. Obstet Gynecol 2007;109:942-7.
5. Tranoulis A, Laios A, Mitsopoulos V, Lutchman-Singh K, Thomakos N. Efficacy of 5% imiquimod for the treatment of Vaginal intraepithelial neoplasia-A systematic review of the literature and a meta-analysis. Eur J Obstet Gynecol Reprod Biol 2017;218:129-36.
6. Fiascone S, Vitonis AF, Feldman S. Topical 5-Fluorouracil for Women With High-Grade Vaginal Intraepithelial Neoplasia. Obstet Gynecol 2017;130:1237-43.
7. Song JH, Lee JH, Lee JH, Park JS, Hong SH, Jang HS, et al. High-dose-rate brachytherapy for the treatment of vaginal intraepithelial neoplasia. Cancer Res Treat 2014;46:74-80.
8. Rogers LJ, Cuello MA. Cancer of the vulva. Int J Gynaecol Obstet 2018;143 Suppl 2:4-13.
9. Gershenwald JE, Scolyer RA, Hess KR, Sondak VK, Long GV, Ross MI, et al. Melanoma staging: Evidence-based changes in the American Joint Committee on Cancer eighth edition cancer staging manual. CA Cancer J Clin 2017;67:472-92.

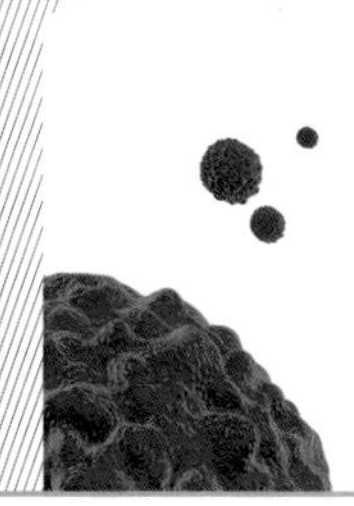

5 SECTION 임신 관련 종양

1. 임신성 융모성질환(Gestational trophoblastic disease, GTD)

태반 영양모세포의 비정상적인 증식으로 인해 발생하는 병변

A. 분류(Classification)

표 5-1. 임신융모영양막질환의 임상적 분류(National Institute of Health)

I. 양성 임신성 융모성질환
A. 완전포상기태(complete hydatidiform mole) B. 부분포상기태(partial hydatidiform mole)
II. 악성 임신성 융모성질환
A. 비전이성: 침윤기태(invasive mole) 혹은 융모막암(choriocarcinoma) B. 전이성 1. 융모막암(choriocarcinoma) 2. 태반부착부위 영양막종양(placental site trophoblastic tumor, PSTT) 3. 상피모양 영양막종양(epithelioid trophoblasitic tumor, ETT)

B. 포상기태(Hydatidiform mole)

i. 역학

① 발생률: 완전포상기태는 695 임신 중 1 증례, 부분포상기태는 1,945

임신 중 1 증례[1]

② 완전포상기태의 위험인자: 산모의 나이, 포상기태임신 과거력, 비타민 A 부족, 동물성지방, 유산, 자연유산 과거력[2-4]

ii. 세포유전학 및 병리(그림 5-1, 표 5-2)

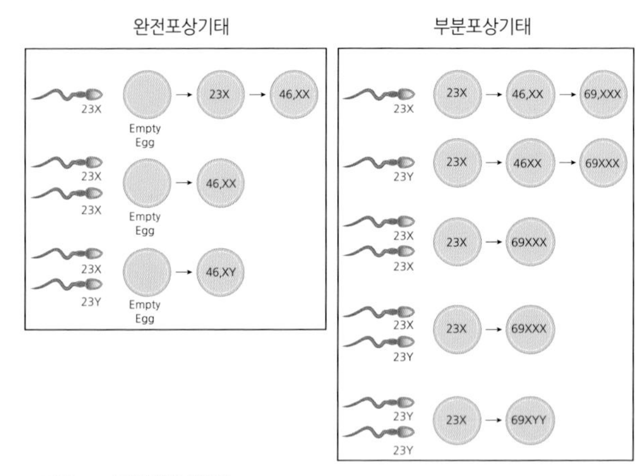

■ 그림 5-1. 포상기태의 핵형

표 5-2. 포상기태의 세포유전학적 및 병리적 특성

	완전포상기태	부분포상기태
태아조직	없다	있다
융모막 융모의 부종	광범위	국소적
영양모세포의 증식	광범위	국소적
융모막 융모의 스캘럽화	없다	있다
영양모세포의 기질 함몰	없다	있다
핵형	46, XX (대부분); 46, XY	세배수체

C. 임상 증상

i. 완전포상기태: 질출혈, 입덧, 크기가 커진 자궁, 난포막황체, 자간전증, 갑상샘과다증, 호흡부전

ii. 부분포상기태: 불완전유산, 계류유산, 대부분 긁어냄술 후 진단

D. 자연사(Natural history)

i. 완전포상기태가 임신융모종양으로 발전할 가능성이 높은 경우(The New England Trophoblastic Disease Center (NETDC) 연구 결과): hCG 〉100,000 mIU/mL, 자궁크기의 증가, 6 cm 이상의 난포막황체낭종

ii. 부분포상기태: 전이가 되는 경우는 없고 1-4%에서 지속성 종양으로 발전[5]

E. 진단(Diagnosis)

i. 초음파가 일차적 진단방법으로 특징적인 'snowstorm' 양상의 패턴을 확인(그림 5-2)

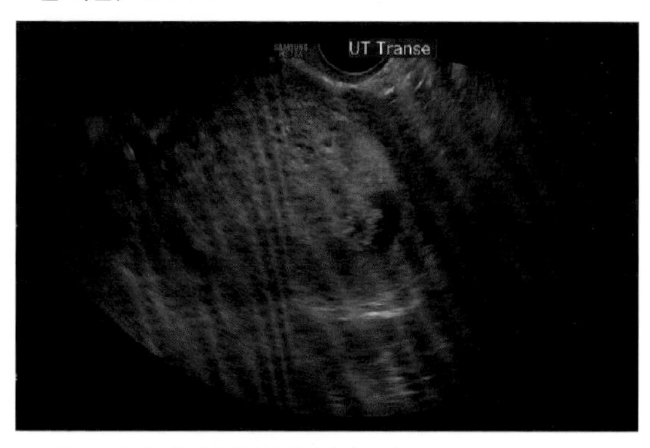

■ 그림 5-2. 완전포상기태의 특징적 초음파 소견 'snowstorm'

F. 치료

i. 자궁경부확장긁어냄술 방법

① 옥시토신 주입(oxytocin infusion) → 자궁경부 확장(cervical dilation) → 흡입 긁어냄술(suction curettage) → 예리한 긁어냄술(sharp curettage)

② Rh 음성인 경우는 Rh 면역글로불린을 주사

ii. 자궁절제술: 향후 출산을 원치 않는 여성 중에서 자궁경부확장긁어냄술의 대안으로 시행

iii. 예방적 항암제: 메토트렉세이트(methotrexate, MTX)나 악티노마이신-디(actinomycin D, ACT D)를 투여하는데 고위험군의 여성 중에서 지속적인 hCG 추적관찰이 어려운 경우에 한하여 시행

G. 추적 관찰

i. hCG 수치가 3번 연속으로 정상이 될 때까지 매주 검사를 해야 한다. 이후 6개월 이상 정상이 될 때까지 매달 검사

ii. 반드시 피임하는데 자궁내 장치는 추천되지 않고 경구피임제를 사용한다.[6]

2. 임신성 융모성종양(Gestational trophoblastic neoplasia, GTN)

A. 정의

i. 기태 흡입소파술 후 hCG 수치가 상승하거나 지속되는 경우

ii. 침습기태, 태반부착부위 융모영양막종양, 상피모양 융모영양막종양, 융모막암종의 조직학적 진단이 확인된 경우

iii. 기태 흡입소파술 후 원격전이가 확인된 경우

B. 자연사

i. 비전이성 질환

① 완전포상기태를 제거한 후 15% 정도에서 발생

② 침습적인 융모종양은 자궁근층을 통과하여 복강내 출혈을 야기하거나 자궁 혈관을 침입하여 질 출혈을 일으킬 수 있음

ii. 전이성 질환

① 완전포상기태를 제거한 후에 약 4% 정도에서 발생

② 대부분 융모막암종이며, 초기에 혈관을 침투하고 다발성으로 전이되는 성향을 보임

③ 가장 흔히 전이되는 부위: 폐(80%), 질(30%), 골반(20%), 뇌(10%), 간(10%)

C. 병기

국제산부인과연맹(FIGO)의 해부학적 병기설정 시스템을 적용(표 5-3)

표 5-3. 임신성 융모성종양의 FIGO 해부학적 병기

병기	내용
1기	자궁에 국한된 질병
2기	자궁밖으로 진행되나, 생식기관에 국한됨(자궁부속기, 질, 넓은인대)
3기	폐까지 전이(생식기관의 침범이 있거나 없을 수도 있음)
4기	모든 기타 전이 부위

D. 예후점수시스템(Prognostic scoring system)

i. 2000년 FIGO는 예후점수시스템(prognostic scoring system)을 다시 수정하였는데 이는 세계보건기구(WHO)의 화학요법 저항성을 예측하는 1992년의 자료를 수정한 것이다(표 5-4).

표 5-4. 예후 인자에 기초한 예후점수 시스템[a]

점수	0	1	2	4
나이	<40	≥40		
선행 임신	기태임신	유산	만삭임신	
지표(index)임신으로부터의 간격(개월)	<4	4−6	7−12	>12
치료 이전의 혈청 hCG (IU/L)	$<10^3$	$10^3-<10^4$	$10^4-<10^5$	$\geq 10^5$
가장 큰 종양 크기(자궁 포함)	<3	3-5 cm	≥5 cm	
전이된 병소	폐	비장/신장	위장관	간/뇌
전이의 개수	0	1−4	5−8	>8
이전의 실패한 화학요법			단일 약제	다제 약제

[a] 총 점수는 각 예후인자의 개별 점수를 합산하여 얻어진다. 총 점수 <7, 저위험; ≥7, 고위험

E. 진단적 평가

i. 모든 환자는 완전한 병력 조사와 진찰; 기저 hCG 수치; 간, 갑상선, 신장 기능검사; 흉부 방사선 검사를 포함하는 면밀한 평가를 시행한다.

ii. 흉부 X선 검사에서 음성 소견을 보일 경우 컴퓨터단층촬영(CT)을 고려한다.[7]

iii. 병리학적으로 융모막암종으로 진단되었거나, 질 또는 폐의 전이가 있는 환자에게 뇌와 간의 전이를 확인하기 위해 두부와 복부의 CT 또는 자기공명영상(MRI)을 시행한다.

iv. 뇌전이는 뇌척수액의 hCG 수치를 측정하여 혈장/뇌척수액 hCG 비가 60 미만이다.

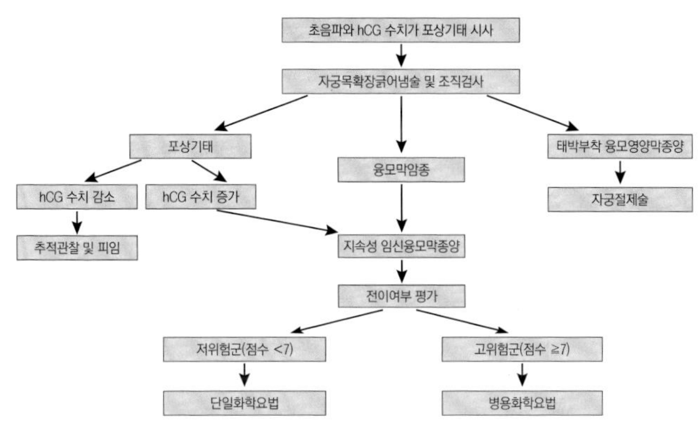

■ 그림 5-3. 임신 융모막종양의 진단 및 치료

F. 치료

i. 병기 1기

① 치료 방법의 선택은 가임능력을 보존하려는 환자의 요구에 따라 결정한다.[8] 환자가 향후 임신을 원하지 않을 경우에는 자궁절제술 및 보조적으로 단일 약제를 이용한 항암화학요법이 주된 치료로 시행될 수 있다(표 5-5). 임신을 원하는 경우 단일 약제를 이용한 항암화학요법을 시행하고 치료에 반응이 없는 경우 복합항암화학요법(combination chemotherapy) 혹은 자궁부분절제술 시행을 고려한다.

표 5-5. 병기 1기의 치료 프로토콜

일차 치료	MTX-FA; 내성을 보이는 경우 Act-D 혹은 자궁절제술(+보조적인 단일제제 항암화학요법)
내성을 보이는 경우	복합항암화학요법 혹은 자궁절제술(+보조적인 단일 제제 항암화학요법) 국소 자궁 절제 골반 동맥 내 주입
hCG 추적 검사	3주 연속 정상일 때까지 매주 검사, 그 후 12개월간 매월 검사
피임	hCG 값이 12개월간 정상일 때까지 피임

MTX, methotrexate; FA, folinic acid; Act-D, actinomycin D; hCG, human chorionic gonadotropin

ii. 병기 2, 3기

① 저위험군 환자의 경우 단일 제제를 이용한 항암화학요법이고, 고 위험군 환자는 복합항암화학요법을 시행(표 5-6)

② 질전이로 대량출혈이 발생한 경우 거즈 압박이나 부분 절제를 시행하여 출혈을 조절하고, 지혈이 안되면 하복부 동맥 혈관 조영술을 이용한 색전술을 고려한다.[9]

③ 개흉술(thoracotomy)은 집중적인 항암치료 후에도 폐전이가 지속되면 시행한다.

④ 자궁절제술은 자궁출혈이나 패혈증을 조절하기 위한 목적으로 시행한다.

표 5-6. 병기 2-3기의 치료 프로토콜

저위험군[a]	
일차 치료	MTX 혹은 Act-D 순차적인 치료
내성을 보이는 경우	복합항암화학요법
고 위험군[a]	
일차 치료	복합항암화학요법
내성을 보이는 경우	이차적 복합항암화학요법
hCG 추적 검사	3주 연속 정상일 때까지 매주 검사, 그 후 12개월간 매월 검사
피임	hCG 값이 12개월간 정상일 때까지 피임

MTX, methotrexate; FA, folinic acid; Act-D, actinomycin D; hCG, human chorionic gonadotropin.
[a] 선택적으로 국소 절제 시행

iii. 병기 4기

① 집중 치료에도 불구하고 급속히 진행되는 고위험군

② 집중적으로 복합항암화학요법과 선택적인 방사선 및 수술적 치료를 시행한다(표 5-7).

③ 뇌전이가 발견된다면 즉각적으로 방사선 치료를 시행하는데 동시 화학요법으로 대뇌 출혈의 위험도를 감소하고 종양을 사멸시킬 수 있다.

표 5-7. 병기 4기의 치료 프로토콜

일차 치료	복합항암화학요법
뇌전이	전두부 방사선 치료 합병증 치료를 위한 개두술
간 전이	합병증 조절을 위한 절제술
내성을 보이는 경우[a]	이차적 복합항암화학요법 간동맥 색전술
hCG 추적 검사	3주 연속 정상일 때까지 매주 검사, 그 후 24개월간 매월 검사
피임	hCG 값이 24개월간 정상일 때까지 피임

hCG, human chorionic gonadotropin
[a]선택적으로 국소 절제 시행

iv. 화학요법

① 단일 화학요법

- 8일간(MTX 1 mg/kg 1,3,5 및 7일에 근주, 엽산 0.1 mg/kg 2,4,6 및 8일 근주) 투여하는데 hCG가 정상이 될 때까지 2주 간격으로 시행한다.
- 만약 hCG가 정체기(+/−10%)를 이루거나 상승하면 Act-D를 사용한다.

② 병용화학요법

- EMA-CO (MTX, etoposide, Act-D, cyclophosphamide, vincristine)는 전이성 및 고위험성 환자에게 일차적으로 높은 완치율을 보인다(표 5-8).[10]
- EMA-CO에 저항성을 보일 경우 etoposide와 cisplatin을 8일째 투여하는 변형된 방법(EMA-EP)을 사용한다(표 5-9).[11]

표 5-8. EMA-CO regimen

EMA	
1일	VP-16 (etoposide), 100 mg/m^{2}을 생리식염수 200 mL에 섞어서 30분간 IV
	Actinomycin D 0.5 mg IV bolus
	Methotrexate 100 mg/m^2 IV bolus 후, Methotrexate 200 mg/m^2 IV를 생리식염수 500 mL에 섞어서 12시간에 걸쳐 IV
2일	VP-16 (etoposide), 100 mg/m^{2}을 생리식염수 200 mL에 섞어서 30분간 IV
	Actinomycin D 0.5 mg IV bolus
	Folinic acid, 15 mg를 MTX 시작 24시간 뒤부터 12시간마다 4회에 걸쳐 IM 또는 PO
CO	
8일	Vincristine, 1.0 mg/m^2, IV (maximum dose 2 mg)
	Cyclophosphamide, 600 mg/m^2, 생리식염수에 섞어서 30분간 IV

표 5-9. EMA-EP regimen

EMA	
1일	VP-16 (etoposide), 100 mg/m^{2}을 생리식염수 200 mL에 섞어서 30분간 IV
	Actinomycin D 0.5 mg IV bolus
	Methotrexate 100 mg/m^2 IV bolus 후, Methotrexate 200 mg/m^2 IV를 생리식염수 500 mL에 섞어서 12시간에 걸쳐 IV
2일	VP-16 (etoposide), 100 mg/m^{2}을 생리식염수 200 mL에 섞어서 30분간 IV
	Actinomycin D 0.5 mg IV bolus
	Folinic acid, 15 mg를 MTX 시작 24시간 뒤부터 12시간마다 4회에 걸쳐 IM 또는 PO
EP	
8일	VP-16 (etoposide), 100 mg/m^{2}을 생리식염수 200 mL에 섞어서 30분간 IV
	Cisplatin 75 mg/m^2 을 생리식염수 1L에 섞어서 3시간 동안 IV

- 표준 치료에 억제저항성을 가진 환자는 Cisplatin, vinblastine, 및 bleomycin (PUB), Ifosfamide와 paclitaxel 또는 paclitaxel, cisplatin 및 etoposide(TP/TE)을 사용 할 수 있다.[12-15]

3. 임신 중 부인암(Gynecologic cancer in pregnancy)

A. 임신 중 자궁경부암

i. 임상 특성

① 발생률은 매우 드물며 임신 중 진단된 자궁경부암의 정의는 아직 정확히 확립되어 있지 않으나 임신 진단 시부터 분만 후 6-12개월 사이에 진단된 경우를 포함

② 자궁경부 세포검사의 확대 시행과 임신 초기 첫 병원 방문 시 거의 모든 산모에서 시행되어 임신 중 자궁경부암 환자들이 비임신 시의 환자보다 I기에 진단될 가능성이 3배 높다는 보고가 있다.[16]

ii. 세포검사와 질확대경 검사

① 비정형편평세포(ASC-US): 인유두종바이러스 검사를 시행하여, 고위험군 양성인 경우 질확대경검사를 시행하는데 분만 6주 뒤에 시행할 수도 있으며, 고위험군 음성인 경우 3년 후 세포검사와 바이러스 검사를 같이 시행하는 것이 권장된다. 다른 옵션으로 1년 이후 세포검사를 반복할 수 있다.

② 저등급편평상피내병변(LSIL): 질확대경검사를 시행한다.

③ 고등급편평상피내병변(HSIL), 고등급편평상피내병변을 배제할 수 없는 비정형편평세포(ASC-H), 비정형샘세포(AGC): 질확대경검사가 권장된다.[16]

iii. 자궁경부 원추절제술

① 적응증: 미세침윤암을 배제하거나 침윤성암을 확진함으로써 분만의 시기와 방법을 결정해야 하는 경우

② 시기: 자연유산과 출혈의 위험도를 줄이기 위해 임신 제2삼분기에 시행한다.

③ 임신중의 원추절제술은 대부분의 경우 치료 목적보다는 진단 목적으로 시행을 하기 때문에 수술 이후에 지속성 병변의 위험도가 비임

신 시보다 크다.[17]

iv. 치료

① 병변의 크기가 작은 초기 병기에서 태아의 성숙을 위한 치료의 지연이 임신 중 자궁경부암 환자의 예후에 부정적인 영향을 미치지 않는 것으로 보인다.[18,19]

② 병기 IA1: 원추절제술로 진단된 환자는 질식 분만 후 6주 뒤 재평가한다.

③ 침윤성 암에서는 20주 이전에는 즉각적인 치료가 필요하고, 20주 이후에는 태아 폐성숙까지 기다릴 수 있다.

④ 일반적으로 IB1기에서는 12주까지 그리고 IB2기에서는 6주까지 치료의 연기가 가능한 것으로 보인다.

⑤ 치료를 연기하기로 결정하면, 최소 2-4주 간격으로 질병의 진행 상태를 평가하고 질병의 진행이 의심되는 경우 MRI 등의 추가 검사를 고려해야 한다.

B. 임신 중 난소암

i. 진단

① 임신 제1 혹은 2삼분기에 산전 초음파 검사 중 우연히 발견

② 난소종괴의 성상이 초음파 만으로 진단을 내리기 부족하다고 판단되는 경우 MRI가 제1삼분기 이후 시행될 수 있다.

ii. 수술적 치료

① 임신 14주에서 20주 사이에 시행될 수 있다.

② 조기 난소암의 경우 복강경에 의한 병기설정이 가능할 수 있으며 병기 1A에서 IIA는 골반 및 대동맥 림프절 절제를 포함한 병기 설정이 권유된다.[20]

iii. 항암화학요법

① 제1병기(G1, G2) 이외의 다른 모든 진행성 병기에서 수술 이후 항암

화학요법의 적응증이 된다.

② 비임신 시와 마찬가지로 파클리탁셀-카보플라틴 복합요법이 임신 중 상피성난소암에서의 표준치료로 권고되고 있다.

③ 임신 제1삼분기에 항암화학요법에 노출되었을 경우 유산, 태아 기형을 유발할 가능성이 매우 높으므로 이 기간 동안에는 항암화학요법을 피해야 한다.[21]

④ 제2삼분기 및 제3삼분기에 노출되는 경우 태아발육지연, 미숙아 및 저체중아, 태아 사망과 연관이 되어 있다는 보고가 있다.[22]

참고문헌

1. Jeffers MD, O'Dwyer P, Curran B, Leader M, Gillan JE. Partial hydatidiform mole: a common but underdiagnosed condition. A 3-year retrospective clinicopathological and DNA flow cytometric analysis. Int J Gynecol Pathol 1993;12:315-23.
2. Parazzini F, Mangili G, La Vecchia C, Negri E, Bocciolone L, Fasoli M. Risk factors for gestational trophoblastic disease: a separate analysis of complete and partial hydatidiform moles. Obstet Gynecol 1991;78:1039-45.
3. Garrett LA, Garner EI, Feltmate CM, Goldstein DP, Berkowitz RS. Subsequent pregnancy outcomes in patients with molar pregnancy and persistent gestational trophoblastic neoplasia. J Reprod Med 2008;53:481-6.
4. Berkowitz RS, Cramer DW, Bernstein MR, Cassells S, Driscoll SG, Goldstein DP. Risk factors for complete molar pregnancy from a case-control study. Am J Obstet Gynecol 1985;152:1016-20.
5. Berkowitz RS, Goldstein DP. Current management of gestational trophoblastic diseases. Gynecol Oncol 2009;112:654-62.
6. Braga A, Maesta I, Short D, Savage P, Harvey R, Seckl MJ. Hormonal contraceptive use before hCG remission does not increase the risk of gestational trophoblastic neoplasia following complete hydatidiform mole: a historical database review. BJOG 2016;123:1330-5.

7. Kohorn EI, McCarthy SM, Taylor KJ. Nonmetastatic gestational trophoblastic neoplasia. Role of ultrasonography and magnetic resonance imaging. J Reprod Med 1998;43:14-20.
8. Hammond CB, Weed JC, Jr., Currie JL. The role of operation in the current therapy of gestational trophoblastic disease. Am J Obstet Gynecol 1980;136:844-58.
9. Tse KY, Chan KK, Tam KF, Ngan HY. 20-year experience of managing profuse bleeding in gestational trophoblastic disease. J Reprod Med 2007;52:397-401.
10. Bagshawe KD. Treatment of high-risk choriocarcinoma. J Reprod Med 1984;29:813-20.
11. Kim SJ, Bae SN, Kim JH, Kim CJ, Jung JK. Risk factors for the prediction of treatment failure in gestational trophoblastic tumors treated with EMA/CO regimen. Gynecol Oncol 1998;71:247-53.
12. DuBeshter B, Berkowitz RS, Goldstein DP, Bernstein M. Vinblastine, cisplatin and bleomycin as salvage therapy for refractory high-risk metastatic gestational trophoblastic disease. J Reprod Med 1989;34:189-92.
13. Azab M, Droz JP, Theodore C, Wolff JP, Amiel JL. Cisplatin, vinblastine, and bleomycin combination in the treatment of resistant high-risk gestational trophoblastic tumors. Cancer 1989;64:1829-32.
14. Osborne R, Covens A, Mirchandani D, Gerulath A. Successful salvage of relapsed high-risk gestational trophoblastic neoplasia patients using a novel paclitaxel-containing doublet. J Reprod Med 2004;49:655-61.
15. Wan X, Yang X, Xiang Y, Wu Y, Yang Y, Ying S, et al. Floxuridine-containing regimens in the treatment of gestational trophoblastic tumor. J Reprod Med 2004;49:453-6.
16. Zemlickis D, Lishner M, Degendorfer P, Panzarella T, Sutcliffe SB, Koren G. Maternal and fetal outcome after invasive cervical cancer in pregnancy. J Clin Oncol 1991;9:1956-61.
17. Method MW, Brost BC. Management of cervical cancer in pregnancy. Semin Surg Oncol 1999;16:251-60.
18. Lee JM, Lee KB, Kim YT, Ryu HS, Kim YT, Cho CH, et al. Cervical cancer associated with pregnancy: results of a multicenter retrospective Korean study

(KGOG-1006). Am J Obstet Gynecol 2008;198:92 e1-6.
19. Germann N, Haie-Meder C, Morice P, Lhomme C, Duvillard P, Hacene K, et al. Management and clinical outcomes of pregnant patients with invasive cervical cancer. Ann Oncol 2005;16:397-402.
20. Amant F, Halaska MJ, Fumagalli M, Dahl Steffensen K, Lok C, Van Calsteren K, et al. Gynecologic cancers in pregnancy: guidelines of a second international consensus meeting. Int J Gynecol Cancer 2014;24:394-403.
21. Cardonick E, Bhat A, Gilmandyar D, Somer R. Maternal and fetal outcomes of taxane chemotherapy in breast and ovarian cancer during pregnancy: case series and review of the literature. Ann Oncol 2012;23:3016-23.
22. Ngu SF, Ngan HY. Chemotherapy in pregnancy. Best Pract Res Clin Obstet Gynaecol 2016;33:86-101.

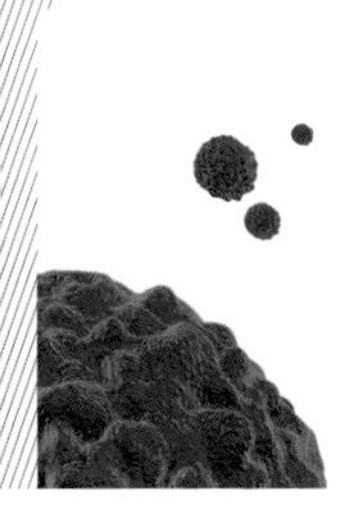

6 SECTION 항암화학요법과 표적, 면역 치료

1. 부인암 항암치료의 기본

A. 암세포의 생물학적 특성

i. 암세포는 곰퍼츠(Gompertz) 성장을 한다. 크기가 작을 때는 지수적 (exponential pattern) 성장을 하지만 크기가 커지면서 성장속도가 둔화된다. 지수 성장을 하는 시기의 종양은 분열하는 세포가 휴지기 세포보다 많기 때문에 항암제에 대한 반응이 좋으며, 난소암 치료에서 종양감축수술로 종양의 크기를 최대한 줄인 후 항암화학요법을 시행하면 치료율을 높일 수 있는 근거가 된다.

ii. 암조직은 세포 간에 유전적 이질성을 보이는데 이는 하나의 종양 덩어리 안에 다양한 암세포들이 혼재한다는 걸 의미하며 군집 별로 세포증식, 면역성, 전이 능력, 항암제 반응성이 상이하다. 즉, 항암치료 후 소수 항암 내성 세포가 있을 수 있음을 의미하며 이 때문에 복합항암화학요법이 필요하게 된다.

B. 항암화학요법의 원칙

i. 항암제는 일정 세포 수가 아닌 일정 분율(fraction)로 암세포를 사멸시키며 한 번의 치료로 2–5 log (약 10^2-10^5개)의 암세포를 사멸시킨다고 알려져 있다.

ii. 항암제는 therapeutic index가 좁기 때문에 부작용을 피하고 최상의 항암 효과를 얻기 위해서는 정확한 용량 계산과 올바른 투여 경로를 반드시 지켜야 한다.
iii. 약제마다 적정 용량 계산 방법이 다르며 체표면적, 체중, Calvert formula을 이용하여 계산하며 매 회 시행 때마다 새로 계산하여 용량을 결정해야 한다.
iv. 복강내 투여는 난소암 치료에서 이용되고 있는데 다른 경로에 비해 배출이 느려서 암세포가 고농도의 항암제에 오랜 시간 노출되는 장점이 있다.
v. 복합항암화학요법은 오랜 기간 임상연구를 통하여 단독 항암화학요법보다 치료에 상승 효과가 있고 내성 발생을 최소화할 수 있음이 정립된 방법이다.

C. 항암화학요법의 분류

i. 보조 항암화학요법(Adjuvant chemotherapy): 일차 수술적 치료로 종양을 제거한 후 남아있는 종양을 파괴하는 요법이며 주로 진행된 난소암 치료에서 종양감축수술 후에 시행하는 경우이다.
ii. 선행항암화학요법(Neoadjuvant chemotherapy): 수술 전에 수술이 가능하도록 종양의 크기를 줄이기 위한 요법이며 난소암이 진행되어 종양감축수술이 불가능한 경우에 크기를 줄일 목적으로 시행하는 경우이다.
iii. 완화 항암화학요법(Palliative chemotherapy): 완전하게 종양을 제거하기 보다 환자의 증상 완화를 위한 요법이며 재발성 혹은 지속적으로 완치되지 않은 부인암 치료에 시행하는 경우이다.
iv. 일차 항암화학요법(First line chemotherapy): 표준 항암화학요법을 일컫는다.
v. 이차 항암화학요법(Second line chemotherapy): 표준 항암화학요법

에 반응하지 않거나 재발한 경우에 시행하는 경우를 일컫는다.

2. 항암화학제의 종류

표 6-1. 부인암 치료에 사용되는 항암화학제의 종류와 적응증 및 주요 독성

분류	종류	적응증	독 성
알킬화 제제	Cyclophosphamide	난소암, 육종	골수억제, 오심, 구토, 탈모
	Ifosfamide	난소암, 자궁경부암, 육종	골수억제, 방광염, 오심, 구토, 탈모, 신독성
	Melphalan	난소암	골수억제, 오심, 구토
	Cisplatin	난소암, 자궁경부암	신독성, 이독성, 말초신경병증, 골수억제, 오심, 구토
	Carboplatin	난소암	혈소판감소증, 이독성, 신독성,말초신경병증, 오심, 구토
항종양 항생제	Actinomycin D	난소암, 융모상피암	골수억제, 오심, 구토, 점막궤양
	Bleomycin	자궁경부암, 난소암	고열, 피부반응, 폐독성
	Mitomycin C	자궁경부암, 난소암	골수억제, 오심, 구토, 점막궤양
	Doxorubicin	난소암, 자궁내막암	골수억제, 탈모, 심독성, 오심, 구토, 점막궤양
	Liposomal doxorubicin	난소암	손발바닥 홍반성감각이상, 구내염
항대사 물질	5-Fluorouracil	난소암, 자궁경부암	골수억제, 오심, 구토, 탈모
	Methotrexate	융모상피암, 난소암	점막궤양, 골수억제, 간독성, 신독성, 알러지 폐염, 뇌막자극
	Hydroxyurea	자궁경부암	골수억제, 오심, 구토, 식욕저하
	Gemcitabine	난소암	골수억제, 피부반응, 심독성

식물유래제제	Vincristine	난소암, 자궁경부암, 육종	신경독성, 탈모, 골수억제, 뇌신경마비, 위장관독성
	Vinblastine	난소암, 융모상피암	골수억제, 탈모, 오심, 신경독성
	Etoposide	융모상피암	골수억제, 탈모, 오심, 구토
	Paclitaxel	난소암, 자궁경부암, 자궁내막암	골수억제, 심부정맥, 아나필락시스
	Topotecan	난소암	골수억제, 오심, 구토, 탈모

3. 항암제 부작용

항암제 부작용은 CTCAE (common terminology criteria for adverse events) version 5.0를 적용하여 5단계로 평가하며 부작용 정도에 따라 항암제 용량도 조정 되어야 한다.[1]

A. 골수 억제

i. 호중구감소증과 혈소판감소증

① 환자의 나이, 약물의 종류/용량/빈도, 방사선요법과 항암화학요법의 과거력 등에 영향을 받음

② 회복 시기: 호중구감소증이 회복되는 시기는 일반적으로 6-12일 후에 나타나서 21일째에 회복. 혈소판감소증은 이보다 4-5일 후에 발생하며 백혈구 수가 정상으로 돌아온 후 회복

③ 항암치료 연기: 절대호중구수(Absolute neutrophil count, ANC)가 $1,500/mm^3$, 혈소판 수가 $100,000/mm^3$로 회복될 때까지 항암치료를 연기해야 함

ii. 치료

① 절대호중구수 $500/mm^3$ 미만이면서 발열이 있는 경우 치명적 패혈증이 발생할 수 있기 때문에 응급상황으로 간주하여 격리, 균배양검사, 광범위 항생제 치료. G-CSF, GM-CSF등 조혈 성장인자를 사용함

② 혈소판 수 <20,000/mm^3: 혈소판 수혈이 필요함

B. 위장관계 독성

i. 증상: 상부 위장관의 점막염으로 오심, 구토, 식도염이 발생할 수 있으며 하부 위장관의 점막염으로 설사가 발생할 수 있음

ii. 치료: 대부분 대증적 치료이며 약물 전처치로 예방하는 것이 바람직함

① 약물치료: 세로토닌 수용체 길항제(Ondansetron, Granisetron, Palonosetron), 덱사메타손, Substance P/NK1 receptor antagonist (Aprepitant) 등

C. 신 독성

i. 주의점: 사구체여과율(GFR)이 낮은 경우(<60 mL/min) 주의

① Cisplatin: GFR 30-60 mL/min이면 50%감량, 30 mL/min 미만이면 투여 금지

ii. 유발 약제: Cisplatin, Carboplatin, MTX, Nitrosourea, Cyclophosphamide, Ifosfamide, Bevacizumab, Gemcitabine

iii. 예방: 약제 투여 전 적절한 수액 공급 및 정확한 용량 계산

① Cyclophosphamide와 Ifosfamide는 출혈성 방광염을 일으키므로 mesna 병용투여해야 함

iv. 치료: 신 독성이 나타나면 즉시 약제를 중단하고 사구체여과율 증가를 위한 수액 요법과 전해질(칼륨, 마그네슘) 교정을 시행. 때로 단기간의 혈액 투석이나 복막 투석까지 고려해야 할 수 있음

D. 간 독성

i. 주의: AST/ALT/ALP, bilirubin 등이 증가하는데 기존에 간질환을 가지고 있는 경우 항암 전에 반드시 파악해야 하며 대개는 치료 후 회복되나 심각한 부작용이 나타나기도 함

ii. 혈중 bilirubin, AST, ALT가 정상의 5배 이상 증가된 경우 항암제 투여 금기

iii. 치료: 간경화나 약물 유발성 간염이 발생한 경우 약제를 중단하고 대증적인 치료

E. 심장 독성

i. 독소루비신(Doxorubicin, 상품명: Adriamycin)

① 누적 용량: 성인의 경우 400–700 mg/m^2, 어린이의 경우 300 mg/m^2 초과 시 발생 위험

② 회복이 불가능한 비가역적 심독성으로 매우 치명적

③ Liposomal doxorubicin: 심 독성을 감소시킨 약제

ii. 파클리탁셀(Paclitaxel): 사전 부정맥유발 약물(pro-arrhythmogenic drug)로 부정맥을 일으킬 수 있으나 대개 수일 내에 사라짐

iii. 그 외: 부설판(Busulfan)은 심내막 섬유화, 미토마이신 C (Mitomycin C)는 심근섬유화, 5–플루오로우라실(5-fluorouracil)은 관상동맥연축 유발

iv. 치료: 대증요법으로 치료하며 울혈성 심부전 증상이 나타나기 전에 조기 발견하는 것이 중요함. 좌심실의 기능이 감소하면 즉시 약제 중단

F. 호흡기계 독성

i. 블레오마이신(Bleomycin)

① 폐섬유화와 동반된 간질성 폐렴(interstitial pneumonitis)이나 과민성폐렴(hypersensitivity pneumonia), 호산구성폐렴(eosinophilic pneumonia) 유발 가능

② 고위험군: 70세 이상, 누적용량 450 Unit 이상, 신장기능이 저하된 환자

ii. 메토트렉세이트(Methotrexate, MTX): 과민성폐렴과 호산구성폐렴

유발 가능

iii. 파클리탁셀(Paclitaxel): 간질성 폐렴 유발 가능

iv. 치료: 손상의 종류에 따라 약제의 중단과 산소, 스테로이드 등의 지지요법으로 치료

G. 피부 독성

i. 탈모: 가장 흔한 부작용이나 대부분 항암치료가 끝나면 회복

ii. 손발톱 변화: 저/고색소침착, 조갑횡구증(Beau's line), 조갑박리증(onycholysis), 손발톱탈락증(onchomadesis), 손발톱이 두꺼워지거나 얇아지는 증상들

① 유발약제: Hydroxyurea/Doxorubicin/Bleomycin/Cisplatin/Vincristine

iii. Liposomal doxorubicin 관련 수족증후군의 발생률은 최대 50%까지 보고

iv. 약제 누출에 의한 피부 괴사의 처치: 즉시 IV line 제거, 스테로이드 국소 주입, 손상 부위의 거상, 냉찜질 또는 온찜질. 장기간의 추적관찰 후 피부 이식이 필요한 경우도 있음

H. 신경 독성

i. 말초 신경 독성

① 수초탈락(demylination)에 의해 서서히 발생

② 누적 투여량(cumulative dose)과 투여강도(intensity)와 연관됨

③ 유발 약제: Paclitaxel, Vincristine, Cisplatin 등

ii. 중추 신경계 독성: Ifosfamide 대사산물이 축적되어 중추신경계 독성 유발 가능

I. 항암제 과민 반응

i. 빈도

① Paclitaxel: 과민반응이 25-30% 정도로 높으나 전처치 이후로 2% 정도로 감소

② Cisplatin: 4-8번째 주기에 5-20% 발생

③ Carboplatin은 7주기 이상 환자의 27%에서 발생

ii. 대비: 과민 반응 시 신속한 대처를 위해 산소, 기관내삽관, 에피네프린 약물이 가까운 곳에 항상 준비되어 있어야 함

iii. 탈감작요법(Desensitization Protocol): 대체 약제가 없는 경우 고려

표 6-2. 탈감작 요법

Cisplatin/Carboplatin	Paclitaxel
1:100 희석용액을 2 mL/hr로 시작하여 15분마다 2배씩 속도를 증가하여 4단계에 걸쳐서 투여하여 괜찮다면 1:10 희석용액을 5 mL/hr로 시작하여 같은 방법으로 4단계에 걸쳐서 투여. 괜찮다면 원액을 10 mL/hr로 시작하여 같은 방법으로 4단계에 걸쳐서 투여[2]	100 mL 생리식염수에 파클리탁셀 2 mg를 섞은 액을 30분에 걸쳐서 정주한 후 괜찮다면 100 mL 생리식염수에 파클리탁셀 10 mg를 섞어서 30분에 걸쳐서 정주. 괜찮다면 500 mL 생리식염수에 파클리탁셀 정용량을 섞어서 3시간에 걸쳐서 정주[3]

4. 항암제 치료 효과 판정

표 6-3. 치료효과 판정 방법

	WHO criteria	RECIST criteria
종양 크기 측정방법	종양의 최장경과 이에 수직인 최장경을 곱한 값	종양의 최장경의 길이
완전 관해(CR)	모든 종양의 소실이 1개월 이상 지속된 경우	
부분 관해(PR)	모든 종양의 크기를 더한 값이 50% 이상 감소한 경우	모든 종양의 크기를 더한 값이 30% 이상 감소한 경우

진행성(PD)	모든 종양의 크기를 더한 값이 25% 이상 증가한 경우	모든 종양의 크기를 더한 값이 20% 이상 증가한 경우
무변화(SD)	부분 관해와 진행성을 모두 만족하지 않은 경우	

5. 표적 치료(Targeted therapy)

A. 혈관내피성장인자(Vascular Endothelial Growth Factor, VEGF) 저해제

혈관내피성장인자는 부인암 조직에서 대부분 과발현되는 것으로 알려져 있으며 이는 혈관형성(vasculogenesis) 및 혈관신생(angiogenesis)에 관여한다.

i. 종류: VEGF-A/B/C/D 및 placenta growth factor. VEGF-A가 종양의 성장 및 전이에 가장 중요

ii. 기전: 종양은 빠르게 분열하는 세포 조직이므로 산소와 영양분이 많이 필요하여 다른 정상 조직에 비하여 상대적으로 저산소증 상태 → 저산소증이 있는 세포에서 HIF (hypoxia-inducible factor) 등의 특정 물질 분비 → VEGF-A 분비 촉진 → VEGF-A는 VEGF receptor와 결합 → 혈관신생 유도 → 저산소증 극복

iii. Bevacizumab (상품명 Avastin®): VEGF inhibitor로서 가장 먼저 상피성 난소암에서 2014년 FDA 승인

① 상피성 난소암 치료에 적용: GOG-218 및 ICON7을 통해 진행성 상피성 난소암에서 수술 후 보조 항암화학요법에 베바시주맙의 병합과 유지요법으로 무병생존률을 향상시키는 것이 증명. 또한 백금 민감성 또는 저항성 상피성 난소암 환자에서도 항암화학요법 병합과 유지요법이 생존률을 향상시킴을 증명함

② 자궁경부암 치료에 적용: GOG-240 연구에서 국소 진행성/전이성/재발성 자궁경부암 환자에 있어 기존의 항암화학요법에 베바시주맙을 추가한 병합요법이 항암 단독요법과 비교하여 생존률 향상을 증명

③ 부작용: 혈관과 관련된 부작용들(혈전증, 출혈, 단백뇨, 신증후군,

고혈압, 상처 치유의 장애 및 장 천공 등) 보고. 임상적으로 장 천공 등에 대한 심각한 부작용에 대해 환자와 치료 전 상담 권고

iv. 다른 혈관신생억제제

① Tyrosine kinase inhibitor: Pazopanib, Vatalanib, Sunitinib, Cediranib, Nintedanib. 재발성 상피성 난소암에서의 어느 정도 효과는 알려짐. 초기치료에는 진입 하지 못하고 있음

② angiopoietin-1/-2의 상호 작용을 억제하는 fusion protein인 Trebananib (AMG386)

B. 표피성장인자 수용체(Epidermal Growth Factor Receptor, EGFR; ErbB-1; HER1) **저해제**

EGF는 표피세포의 분열, 이동, 분화, 사멸 등을 통하여 세포의 전반적 성장을 조절한다.

i. 분류: EGFR (ErbB-1), HER2/neu (ErbB-2), HER3 (ErbB-3), HER4 (ErbB-4)

ii. 기전: EGF, TGFα 등의 결합에 의해 활성화 → downstream의 신호전달 단백질들(MAPK, AKT, JNK 등)이 활성화 → DNA 합성, 세포증식 유도. EGFR의 dimerization으로 ligand 결합 없이도 autophosphorylation 통해 활성화 가능

iii. 약제: EGFR 과발현은 부인암 중 상피성 난소암의 경우 30% 이상, 자궁내막암의 경우 40% 이상의 환자 조직에서 보고. Serous endometrial cancer에서 HER2 유전자의 변이가 42%까지 보고

① Erlotinib: EGFR tyrosine kinase inhibitor. 상피성 난소암의 단독, 병합요법에 대한 임상시험이 진행 되었으나 대규모 3상 임상시험은 아직 없음

② Cetuximab: 상피성 난소암의 초기 치료 시 항암화학요법과의 병합요법에서 유의한 생존률의 증가를 확인하지 못함

③ Gefitinib (Iressa®): EGFR tyrosine kinase를 억제하는 저분자량의 quinazoline 유도체. 재발성 상피성 난소암에서 특히 EGFR 발현양에 따라 그 치료효과가 증가하는 것으로 보고

④ Lapatinib: HER2/EGFR tyrosine kinase 수용체 억제제로 자궁내막암에서 2상 연구 종료

⑤ Trastuzumab: HER2/neu의 세포외 구역에 특이 항체로 임상전 연구에서 항종양효과가 나타난다고 보고. HER2/neu가 과발현된 진행/재발성 serous 자궁내막암의 치료로 항암치료와 병합치료하였을 때 항암치료 단독군보다 유의미한 무병생존율의 향상을 보고함[4]

C. Mitogen-activated Protein Kinase (MAPK) pathways 저해제

MAPK는 serine/threonine kinase의 일원으로 EGFR에 의해 활성화된다.

i. 기전: 활성화된 MAPK는 RAS로부터 신호를 전달받아 핵에서 유전자 발현을 조절. RAS, MEK1/2, ERK1/2 등 많은 단백질들이 관여

ii. Sorafenib: MAPK pathway inhibitor 중 가장 먼저 임상적 효능을 보인 약제. RAF를 표적으로 하며 VEGFR, FT3 등을 동시에 억제. Low grade serous 난소암의 경우 약 30%에서 RAF 또는 KRAS 의 유전자 변이로 MAPK pathway가 활성화되었기 때문에 좋은 약물 후보군임[5]

D. Poly ADP-ribose polymerase (PARP) 저해제

PARP는 DNA 손상의 복구, 유전자의 안전성 유지, 그리고 programmed cell death 등 여러 세포 내 과정에 관여하는 단백질이다.

i. 기전: PARP는 단일가닥 DNA 손상을 복구하는 데 중요한 역할 → BRCA 변이를 가진 사람은 종양세포가 이중가닥 DNA 손상을 복구하는 기본 메커니즘인 상동재조합복구(homologous recombination repair, HRR)의 기능이 작동하지 않음 → PARP inhibitor 투여 →

DNA 단일가닥 손상이 이중가닥 손상으로 발전 → 합성치사(synthetic lethality)에 의해 암세포의 사멸 초래(그림 6-1).

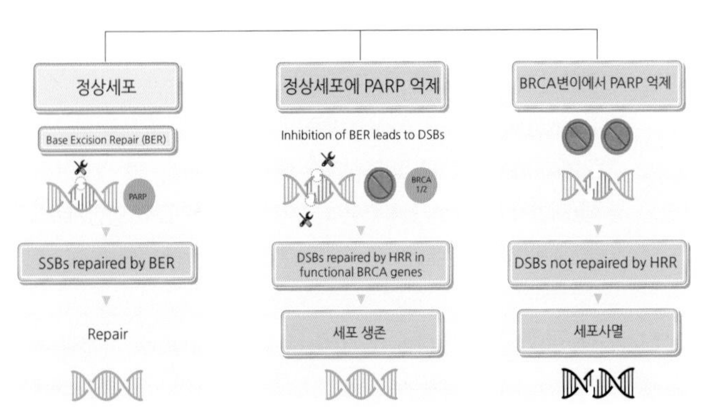

■ 그림 6-1. Synthetic lethality에 있어서의 PARP 억제제의 역할(SSB, single strand break; DSB, double strand break; HRR, homologous recombination repair)

ii. 적용범위: BRCA 변이 연관하여 난소암에서 주로 연구. 난소암 이외의 HRD (homologous recombination deficiency)가 있는 종양에서도 PARP 억제제의 사용가능성을 연구. PTEN 변이가 있는 자궁내막암의 경우 PARP inhibitor에 대한 반응이 증가

iii. 약제

① Olarparib (상품명 Lynparza®): 난소암에서 가장 많이 연구됨. BRCA 돌연변이를 보유한 백금 민감성 재발성 high grade serous 난소/난관/복막암 환자 295명을 대상으로 유지요법으로 300 mg을 복용한 환자의 경우 대조군에 비해 무진행 생존율이 19.1개월과 5.5개월로(HR 0.30; 95% CI;0.22-0.41, p<0.0001) 유의한 임상적 효용성을 보임.[6] 또한 동일한 환자군의 1차 치료 종료 후 유지요법에서도 유의한 생존율의 향상을 보임[7]

② Veliparib: PARP-1 및 2를 억제하는 경구용 약제. high grade serous 난소암 환자의 1차 항암치료 시 Veliparib을 병합치료하고 유지치료한 것이 대조군에 비해 무병생존율의 향상을 보임(BRCA 변이 환자, 34.7개월 vs 22.0개월: HR 0.44; 95% CI, 0.28-0.68, p〈0.001), HRD 변이 군, 31.9개월 vs 20.5개월: HR 0.57; 95% CI, 0.43-0.76, p〈0.001)[8]

③ Rucaparib: PARP-1 및 2를 억제하며 564명의 재발성 난소암 환자를 대상으로 한 ARIEL 3 연구에서 Rucaparib 유지요법군이 대조군에 비해 BRCA 돌연변이 환자들, HRD-positive 환자들, intention-to-treatment population의 무진행 생존율의 유의한 향상을 보임[9]

④ Niraparib (상품명 Zejula®): PARP-1 및 2를 억제. 533명의 platinum sensitive 재발성 난소암 환자를 대상으로 시행된 무작위 배정 3상 임상연구(ENGOT-OV16/NOVA)에서 Niraparib 유지요법을 비교. 대조군에 비해 germline BRCA 돌연 변이가 있는 군(중앙생존 기간, 21 개월 vs 5.5 개월; HR = 0.27; 95% CI, 0.017-0.41; P 〈0.001)과 germline BRCA 돌연 변이가 없는 군(중앙 생존 기간, 9.3 개월 vs 3.3 개월; HR = 0.45; 95% CI, 0.34-0.61; P 〈0.001) 모두에서 무진행 생존 기간의 향상을 보임.[10] 상피성 난소/난관/복막암 환자의 1차 항암치료에 반응을 보인 733명 대상의 연구에서(ENGOT-OV26/GOG-3012/PRIMA) BRCA 변이의 존재와 관계없이 유의한 무병생존율의 향상을 보고함(HRD 변이군, 21.9개월 vs 10.4개월: HR 0.44; 95% CI, 0.28-0.68, p〈0.001), 전체환자군, 13.8개월 vs 8.2 개월: HR 0.57; 95% CI, 0.43-0.76, p〈0.001).[11]

E. Phosphatidylinositol-3-Kinase/AKT Pathway 저해제

PI3K/AKT pathway는 세포의 생존, 성장, apoptosis에 있어서 중요 역할을 하는 것으로 알려져 있다.

i. 기전: PI3K/AKT pathway는 EGFR, IGFR와 같은 다양한 tyrosine kinase 수용체에 의해 활성화 → PI3K가 활성화되면 PIP2를 PIP3로 phosphorylation → PIP3는 secondary messenger로 작용, 여러 표적과 결합하여 이를 활성화 → AKT는 PIP3 활동의 중요한 중재자로 AKT가 활성화되면 여러 표적에 작용하여서 세포의 생존, 증식, 세포자멸회피, 항암제 내성 등에 영향 → AKT의 중요한 표적 중 하나가 mTOR → AKT에 의해서 mTOR가 상향조절 → S6 kinase 활성화 → 세포 주기를 통한 단백질의 합성과 성장에 영향

ii. 다른 기전

① PTEN: 10번 염색체에 있는 PTEN은 종양억제 유전자로 직접 PIP3를 PIP2로 de-phosphorylation → PTEN 변이가 있는 환자는 PIP3가 과도하게 축적 → AKT 경로를 활성화

② PIK3CA 변이에 의해서도 PI3K/AKT pathway 활성화

③ pathway에 있는 여러 표적 중 한 개만 억제하는 것은 종양의 성장에 영향을 미치나 충분하지 못할 수 있는데 이는 경로 간에 다양한 연결 소통이 존재하기 때문

iii. 약제

① mTOR (mammalian target of rapamycin) 저해제: mTORC1/2를 억제. 부인암에서 mTORC1을 대상으로 시도하였으나 효과가 미미하여 최근에는 mTORC1과 mTORC2를 모두 억제하는 약을 개발

- Temsirolimus (CCI-779): 수용성 rapamycin의 ester화 물질. 25 mg을 매주 정맥주사하는 용법. 재발성/전이성 자궁내막암에서 항암제와의 병합요법으로 연구[12]

- Everolimus (RAD001): 경구용. 재발성 자궁내막암에서 하루 10 mg을 사용하는 단독요법으로는 임상적 효과가 크지 않아 항암제나 호르몬제와의 병합요법으로 주로 사용.[13] 특히 유방암과 자궁내막암에서 호르몬제와의 병합요법은 연구 중

- Ridaforolimus (AP23573; MK-8669): 경구와 정맥 모두 가능. 진행성/재발성 자궁내막암 환자 2주 간격으로 12.5 mg을 5일 연속 투여한 경우 45명 중 13명에서 임상적 효용성을 보임. 3주 간격으로 40 mg을 5일 연속 복용하는 요법에서도 정맥투여 요법과 상응한 결과[14]

② AKT inhibitor: 종양 모델에서 in vitro과 in vivo에서 효능을 보이는 것 확인. PI3K 표적치료제 중 현재 2개의 PI3K 억제제가(Pilaralisib, Enzastaurin) 2상 임상 연구를 진행 중. 병용표적치료요법의 초기 임상이 많이 진행 중(PI3K/mTOR, PI3K/AKT, PI3K/MEK). 하지만 독성의 증가로 효과가 아직은 불분명

6. 표적 치료제의 부작용

A. 고혈압

i. 빈도: 표적치료제의 부작용 중 약 40%에서 생길 정도로 가장 흔함

ii. 약제: 주로 Bevacizumab이나 Sorafenib 등의 혈관형성억제제

iii. 기전: 내피세포에서 산화질소 생산이 감소되어 혈관이 수축되기 때문인 것으로 추론

iv. 특징: 용량에 비례해서 발생 빈도가 높아지는 것으로 보이는데 특히 Bevacizumab에서 용량과 비례해서 현저히 증가하는 것으로 알려져 있으며 Topotecan, Paclitaxel과 병용 시 빈도 증가

B. 신독성

가장 흔한 독성으로는 단백뇨인데 특히 혈관형성억제제에서 흔함

i. 기전: 표적치료제로 인한 혈관내막세포의 손상에서 기인한다고 추정

ii. 대처: 단백뇨는 대개 경미한 수준이며 증상이 없지만 2+ 이상으로 나오면 24시간 소변을 모으고 〉2 g이면 표적치료제의 중단과 함께

용량 조절이 필요

C. 심장독성

표적치료제의 부작용으로 좌심방 기능부전, 울혈성 심부전, 심근경색 등

D. 혈전색전증

암 자체로도 정맥혈전색전증(venous thromboembolism, VTE)의 위험도가 증가되어 있지만 혈관형성억제제의 사용이 혈전증, 특히 동맥혈전색전증(arterial thromboembolism, ATE)을 증가시킴. 특히 베바시주맙은 ATE의 위험인자. VTE의 과거력이 있는 경우에 정밀 검사와 항응고제 사용. ATE의 이력이 있는 환자에서 혈관형성억제제는 금기

E. 장천공 및 누공

혈관형성억제제 치료와 연관된 치명적인 합병증

- i. 빈도: 장천공은 난소암 환자에서 가장 흔하며 재발암 환자를 대상으로 한 연구에서 11%까지 보고. 하지만 frontline treatment 시에는 장천공이 증가되지 않는 것으로 보고
- ii. 대처: 장천공이 발생할 경우 처치는 개인별로 맞춤 치료가 필요. 일반적으로 장루를 설치하는 외과적인 처치가 표준치료. 환자가 외과적 처치를 시행 받을 수 없는 상태라면 항생제, 수액 등의 보존적인 처치

F. 피부 병변

- i. 빈도: antl-EGFR 제재는 피부 독성이 흔한데(50~100%) 용량과 비례
- ii. 양상: 여드름같은 가려운 구진(papule)과 농포(pustule)가 치료 시작 후 3주 안에 나타남
- iii. 치료: 항생제나 항염증제를 국소 도포하거나 증상의 빠른 호전을 위해서 doxycycline을 복용. 피부건조증의 경우 피부 연화제

iv. Sorafenib, Sunitinib: 손발 피부 병변이 20-25%의 환자에서 나타남. 스테로이드 도포 등의 보존적 요법으로 대개 호전

G. 대사장애

i. Tyrosine kinase 억제제: 갑상선 기능, 포도당 대사, 골대사, 전해질 이상

ii. Sorafenib, Sunitinib: hypothyroidism

iii. mTOR inhibitor (Temsirolimus, Everolimus): 고혈당 빈도가 50%

iv. Sunitinib, Imatinib: 저혈당, 또는 고혈당

H. Reverse Protein Leukoencephalopathy

혈관형성억제제의 아주 드문 부작용

i. 빈도: Bevacizumab, Sorafenib, Sunitinib으로 치료한 환자의 1% 미만에서

ii. 증상: 두통, 경련, 무기력, 의식상태 변화 등이 주 증상, 고혈압에 대한 적극적인 치료와 보존적 요법으로 회복

7. 면역 치료(Immune therapy)

A. 면역 시스템을 활용한 치료 전략

i. cancer vaccines: 암 세포들은 체내 면역 반응을 하향 조절시키면서 면역 회피를 하는데 항원 발현 세포(antigen presenting cell, APC)의 활동성을 강화 시키거나, 항암작용에 효과적인 T세포의 발현을 유도하는 등 다양한 전략을 통해 극복

ii. 자궁경부암: 가장 큰 성공 사례로서 자궁경부 이형성증과 자궁경부암의 예방에 효과적인 인유두종바이러스(human papillomavirus, HPV) 백신의 개발

iii. 난소암: peptide vaccines은 HY-ESO-1, p53, WT-1, HER-2, EGFR 등 난소암에서 발현되는 다양한 표적 항원에 대한 항암 면역 반응을 자극하도록 고안. Peptide vaccine은 생체내 면역 반응을 향상시키기 위해 Montanide나 GM-CSF와 같은 보조제와 함께 투여

B. 단클론항체(Monoclonal antibodies) 및 항체기반 면역치료

단클론항체란 특정한 모세포에서 기원한 동일 면역세포에 의해 형성된 항체를 말하며, monovalent affinity를 지닌 항체이다. 특정항원에 대한 친화력을 가진 항체를 이용하여 면역치료를 시행하는 것을 항체기반 면역치료라 할 수 있다.

i. **작용 기전: 암세포에서 발현하는 비정상 특정 단백에 대해 결합 → 면역세포가 종양세포를 공격할 수 있도록 표식 → 보체(complement) 활성화 → 종양세포 용해 유도. 또는 종양세포 표면의 신호전달분자와의 상호작용을 통해 직접적인 종양성장억제 효과 유도 → immune complex 형성, 포식 세포의 작용 항진, antibody-dependent cell-mediated cytotoxicity (ADCC) 반응 유도**

ii. **면역관문억제제(immune checkpoint inhibitor)**

① Cytotoxic T-lymphocyte-associated protein 4 (CTLA4), programmed cell death protein 1 (PD-1), programmed death-ligand 1 (PD-L1): 세포 표면에 존재하는 단백으로, 자기 자신의 조직으로부터의 면역반응을 억제하는데 중요한 면역관문 역할. 악성 종양의 면역회피경로를 차단하는 항체를 이용하여 종양억제를 유도. PD-1/PD-L1에 대한 항체를 이용하여 억제(그림 6-2).

② 종류: Ipilimumab(상품명, Yervoy®), Nivolumab(상품명, Opdivo®), Pembrolizumab(상품명, Keytruda®), Atezolizumab(상품명, Tecentriq®), Avelumab(상품명, Bavencio®), Durvalumab(상품명, Imfinzi®)

③ 적용대상: 특정 종양을 목표로 개발되기도 하나, 특정 종양이 아닌 특정 유전자 변화에 따라 사용이 결정. 종양의 종류에 관계없이 DNA mismatch repair (MMR)에 결함이 있는 종양은 결과적으로 microsatellite 불안정이 발생하고, 면역세포가 쉽게 종양세포를 공격할 수 있어, 약제의 효과를 더 기대. 이러한 경우 '종양불인지 치료법(tumor-agnostic treatment)'이라고 함

④ Oregovomab: CA125를 이용한 면역치료제의 예로서 쥐에서 생성된 단클론항체로 순환하는 CA125 항원과 결합하여 면역복합체를 만들고, 이는 항체 중 쥐에서 유래된 부분이 이물질로 작용하여 면역반응을 촉진하여 항종양효과 나타냄[15]

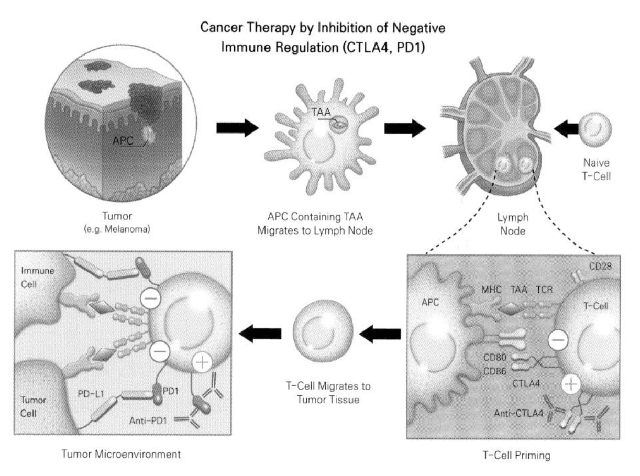

■ 그림 6-2. 면역관문억제를 통한 항종양 면역치료법의 기전

C. 입양면역요법(Adoptive immunotherapy)

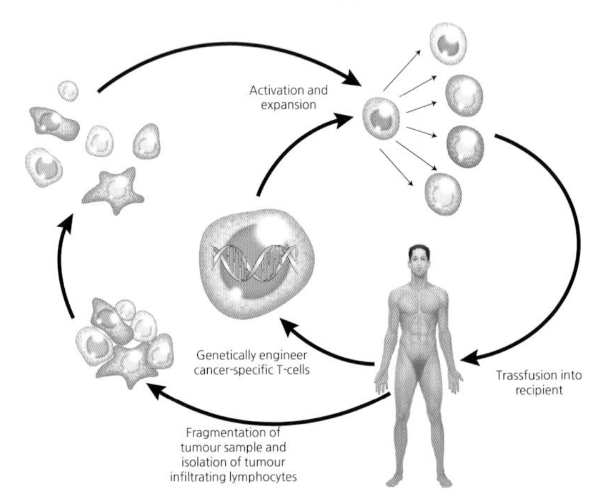

■ 그림 6-3. 입양면역(adoptive immunotherapy) 치료 모식도

i. 정의: 체외에서 항종양 효과를 보이는 면역세포를 증식하고 확대한 후 다시 체내에 effector cell을 주입하여 면역기능을 통해 항종양효과를 나타내고자 하는 치료. 주로 항종양효과를 보이는 T 세포를 수집하여 이를 체외에서 자극 및 확대하여 항종양효과를 극대화한 후 다시 체내에 주입하는 방법

ii. Tumor-infiltrating lymphocytes (TILs): 종양으로 침투하는 림프구를 이용한 입양면역치료는 흑색종 치료에 있어 가장 효과적인 치료법으로 알려져 있으며, 높은 반응율을 보여주었고, IL-2/Ipillimumab 병행치료 비교에서도 더 좋은 장기생존율을 보고. 난소암에서도 이를 단독 또는 IL-2를 함께 사용한 연구결과를 보고[16]

iii. Chimeric antigen receptor (CAR) T cell: 자가 또는 타인에서 T 세포를 추출한 후 외부에서 유전자조작을 통해 새로운 CAR-T 세포를 만들어 다시 주입하는 것. 이때 목표 유전자가 종양에서만 발현

되고 정상세포에서 발현되지 않는 것을 선택하는 것이 중요. 주로 백혈병 등의 혈액 종양에서 치료효과가 입증. Epstein-Barr virus (EBV)-특이 T 세포 면역치료는 EBV 항원을 발현하는 조혈모세포 이식을 받은 수용자에서 post-transplant lymphoproliferative disease을 예방하기 위해 사용

D. 사이토카인(cytokine) 치료 및 면역조절(immunomodulation)

i. 정의: cytokine은 세포 신호전달에 중요한 다양한 종류의 작은 단백질(~5-20 kDa)을 통칭하는 범주. Auto-/para-/endocrine 등의 다양한 경로를 통하여 immunomodulating agent로 작용.

ii. 종류: chemokine, interferon, interleukin, lymphokine, tumor necrosis factor (TNF)

iii. 생성: macrophage, B lymphocyte, T cell, mast cell, endothelial cell, fibroblast에서 생성

iv. 적용: 흑색종이나 신세포암의 치료에 많은 종류의 치료제가 시도

① IFN-감마, IFN-알파, IL-2, TNF-알파, IL-12, GM-CSF 등이 시도

② 오심, 구토, 발열, 두통 등의 높은 부작용 발생

③ 난소암에서 적용: IFN-알파를 백금항암제와 병합하여 복강내에 직접 투여하여 치료한 연구에서 27명 중 14명에서 장기억제 효과가 나타났음을 보고[17]

v. regulatory T cell (Treg): 세포독성 T 세포의 활성화를 억제하고, 항종양 면역작용을 억제하는 것으로 생각. 난소암 환자의 복수, 혈액, 종양내에서의 증가가 보고. Treg를 억제하면 항종양효과를 항진시킬 수 있다고 생각되나, 현재까지 단클론항체를 이용한 Treg 억제는 아직 뚜렷한 연구성과를 내지 않고 있어, 이를 억제하는 방법에 대한 추가적인 연구가 필요. 체외에서 항종양 효과를 보이는 면역세포를 증식하고 확대한 후 다시 체내에 effector cell을 주입하여

면역기능을 통해 항종양효과를 나타내고자 하는 치료. 주로 항종양 효과를 보이는 T 세포를 수집하여 이를 체외에서 자극 및 확대하여 항종양효과를 극대화한 후 다시 체내에 주입하는 방법을 사용

참고문헌

1. U.S. Department of Health and Human Services. Common Terminology Criteria for Adverse Events (CTCAE). Version 5.0. c2017 [cited]. Available from: https://ctep.cancer.gov/protocolDevelopment/electronic_applications/docs/CTCAE_v5_Quick_Reference_8.5x11.pdf.
2. Castells MC, Tennant NM, Sloane DE, Hsu FI, Barrett NA, Hong DI, et al. Hypersensitivity reactions to chemotherapy: outcomes and safety of rapid desensitization in 413 cases. J Allergy Clin Immunol 2008;122:574-80.
3. Markman M, Kennedy A, Webster K, Peterson G, Kulp B, Belinson J. An effective and more convenient drug regimen for prophylaxis against paclitaxel-associated hypersensitivity reactions. J Cancer Res Clin Oncol 1999;125:427-9.
4. Fader AN, Roque DM, Siegel E, Buza N, Hui P, Abdelghany O, et al. Randomized Phase II Trial of Carboplatin-Paclitaxel Versus Carboplatin-Paclitaxel-Trastuzumab in Uterine Serous Carcinomas That Overexpress Human Epidermal Growth Factor Receptor 2/neu. J Clin Oncol 2018;36:2044-51.
5. Adnane L, Trail PA, Taylor I, Wilhelm SM. Sorafenib (BAY 43-9006, Nexavar), a dual-action inhibitor that targets RAF/MEK/ERK pathway in tumor cells and tyrosine kinases VEGFR/PDGFR in tumor vasculature. Methods Enzymol 2006;407:597-612.
6. Pujade-Lauraine E, Ledermann JA, Selle F, Gebski V, Penson RT, Oza AM, et al. Olaparib tablets as maintenance therapy in patients with platinum-sensitive, relapsed ovarian cancer and a BRCA1/2 mutation (SOLO2/ENGOT-Ov21): a double-blind, randomised, placebo-controlled, phase 3 trial. Lancet Oncol 2017;18:1274-84.
7. Moore K, Colombo N, Scambia G, Kim BG, Oaknin A, Friedlander M, et al. Maintenance Olaparib in Patients with Newly Diagnosed Advanced Ovarian Cancer. N Engl J Med 2018;379:2495-505.

8. Coleman RL, Fleming GF, Brady MF, Swisher EM, Steffensen KD, Friedlander M, et al. Veliparib with First-Line Chemotherapy and as Maintenance Therapy in Ovarian Cancer. N Engl J Med 2019.
9. Coleman RL, Oza AM, Lorusso D, Aghajanian C, Oaknin A, Dean A, et al. Rucaparib maintenance treatment for recurrent ovarian carcinoma after response to platinum therapy (ARIEL3): a randomised, double-blind, placebo-controlled, phase 3 trial. Lancet 2017;390:1949-61.
10. Mirza MR, Monk BJ, Herrstedt J, Oza AM, Mahner S, Redondo A, et al. Niraparib Maintenance Therapy in Platinum-Sensitive, Recurrent Ovarian Cancer. N Engl J Med 2016;375:2154-64.
11. Gonzalez-Martin A, Pothuri B, Vergote I, DePont Christensen R, Graybill W, Mirza MR, et al. Niraparib in Patients with Newly Diagnosed Advanced Ovarian Cancer. N Engl J Med 2019.
12. Oza AM, Elit L, Tsao MS, Kamel-Reid S, Biagi J, Provencher DM, et al. Phase II study of temsirolimus in women with recurrent or metastatic endometrial cancer: a trial of the NCIC Clinical Trials Group. J Clin Oncol 2011;29:3278-85.
13. Slomovitz BM, Jiang Y, Yates MS, Soliman PT, Johnston T, Nowakowski M, et al. Phase II study of everolimus and letrozole in patients with recurrent endometrial carcinoma. J Clin Oncol 2015;33:930-6.
14. Colombo N, McMeekin DS, Schwartz PE, Sessa C, Gehrig PA, Holloway R, et al. Ridaforolimus as a single agent in advanced endometrial cancer: results of a single-arm, phase 2 trial. Br J Cancer 2013;108:1021-6.
15. Mei L, Hou Q, Fang F, Wang H. The antibody-based CA125-targeted maintenance therapy for the epithelial ovarian cancer: a meta-analysis. Eur J Gynaecol Oncol 2016;37:455-60.
16. Topalian SL, Solomon D, Avis FP, Chang AE, Freerksen DL, Linehan WM, et al. Immunotherapy of patients with advanced cancer using tumor-infiltrating lymphocytes and recombinant interleukin-2: a pilot study. J Clin Oncol 1988;6:839-53.
17. Repetto L, Chiara S, Guido T, Bruzzone M, Oliva C, Ragni N, et al. Intraperitoneal chemotherapy with carboplatin and interferon alpha in the treatment of relapsed ovarian cancer: a pilot study. Anticancer Res 1991;11:1641-3.

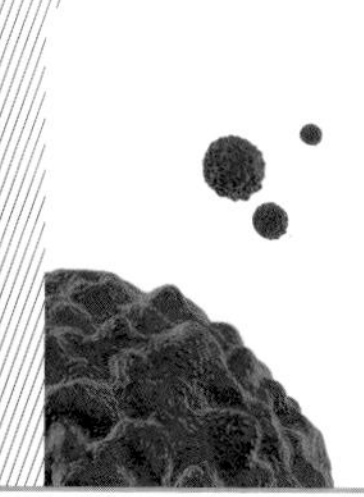

7 SECTION 수술 전후 관리

1. 수술 전 평가(Preoperative evaluation)

A. 병력 청취

i. 병력 청취는 수술이나 마취로 악화될 수 있는 모든 질환들을 파악하기 위해 세세한 내용까지 질문하여야 한다.

ii. 현재 복용 중인 약이나 수술 예정일 한 달 이내 복용했던 약까지 파악해야 한다.

iii. 이전 수술이나 시술 후 합병증을 확인해야 한다.

iv. 가족력을 확인하여 가족의 병력을 확인해야 한다.

v. 체계별 문진을 상세하게 해서 다른 내 · 외과적인 문제를 확인한다.

B. 수술 전 검사실 검사 및 영상 검사

표 7-1. 수술 전 검사실 검사 및 영상 검사

검사실 검사	검사가 필요한 상황
흉부촬영	심혈관계 혹은 폐의 증상이나 징후 폐 합병증 위험이 있을 때
심전도	심혈관계 질환의 증상이나 징후 고위험 수술(수술 전후 심장사건 위험성 >5%) 중등도 위험 수술(수술 전후 심장사건 위험성 1-5%, 1개의 RCRI 위험요소)
전체혈구계산	주요 수술 빈혈 위험성
신장기능검사	알려진 신장 혹은 심혈관계 질환
혈액응고검사	일상적으로 권고되지는 않음 출혈 혹은 간질환 병력 항응고제 복용 환자 응고장애가 우려되는 병력이나 검사를 받은 경력
요검사	증상이나 병력이 있을 경우 고려 침습적 비뇨기계 시술 시 고려

C. 사전 동의

수술 전에 수술방법, 기대되는 효과, 위험성을 설명 후, 사전동의를 받아야 한다. 사전 동의는 환자와 가족들에 대한 교육과정으로 이들이 이해할 수 있는 용어를 사용해야 한다.

i. 질환의 성격과 질환 진행의 범위
ii. 실제 수술 범위와 수술 중 소견에 따른 수술 변경 가능성
iii. 수술 후 예견되는 결과
iv. 수술의 위험성과 잠재적인 합병증
v. 수술 후 경과
vi. 치료받지 않을 경우 예상되는 결과

2. 내과적 동반 질환

A. 심혈관계

i. 관상동맥위험도 평가

① 임상적 예측 인자

표 7-2. 관상동맥위험도 예측 인자

큰 수술을 할 때 심혈관의 위험성을 높일 수 있는 주요 임상 예측 인자	불안정 관상동맥 증후군(발생 7일 이내의 급성 심근경색이나 발생 7 일에서 1개월 이내인 최근 발생한 심근경색, 불안정 또는 중증의 협심증)
	보상되지 않는 심부전
	중증의 부정맥(고도의 방실차단, 기저 심질환이 있는 증후성심실부정맥, 심실 박동수가 조절되지 않는 상심실성부정맥)
	중증의 판막질환
중등도 임상 예측인자	경증의 협심증
	계획 수술 1개월 이전에 발생한 심근경색이나 심전도상 비정상적인 Q파로 알 수 있는 과거의 심근경색
	보상되거나 과거에 발생한 심부전
	수술전 크레아티닌 수치가 2.0 mg/dL 이상
	인슐린으로 치료 받고 있는 당뇨병 환자
경도 임상 예측인자	고령 환자
	비정상적인 심전도 소견
	낮은 기능 용량
	뇌졸증의 과거력
	잘 조절이 되지 않는 전신 고혈압

② 수술에 따른 위험도

표 7-3. 수술에 따른 위험도 분류

고위험 수술	고령의 환자에서 주요 응급수술
	대동맥과 기타 주요혈관 수술
	말초혈관 수술
	다량의 출혈 및 체액 이동이 동반된 수술
중등도 위험 수술	복강내 또는 흉강내 수술
	경동맥 내막절제술
	두경부수술
	정형외과 수술
	전립선 수술
저위험 수술	내시경수술
	표재성 수술
	백내장 수술
	유방 수술

ii. 수술 전 특별한 심혈관계 질환에 대한 관리

① **고혈압**

- 수술 전 수축기 혈압이 180 mmHg 이상이거나 이완기 혈압이 110 mmHg 이상인 경우에는 수 일 또는 수 주 동안 치료 후 수술을 시행

② **심장판막질환**

- 협착 병변은 주요 수술에 심부전이나 쇼크의 위험이 증가하기 때문에 이러한 합병증을 감소시키기 위해서는 수술 전 경피적 판막절개술이나 판막치환술이 요구된다. 증상을 동반한 역류성 판막질환은 수술 전 약물요법이나 감시로 안정화될 수 있다. 예외적으로 좌심실기능저하를 동반한 심각한 판막 역류는 혈역학적으로 매우 불안정한 상태이기 때문에 수술 전 심장 수술을 먼저 시행할

수도 있다.

③ **심근 질환**

확장성 그리고 비대성 심근병증은 주요 수술 시에 심부전이 발생할 수 있다.

④ **부정맥과 심장전도이상**

부정맥 또는 심장의 전도 장애가 있을 때는 먼저 심폐질환, 약물중독 또는 대사 이상이 동반되어 있는지 확인이 필요하다.

B. 호흡기계

i. 수술 후 호흡기계 합병증은 흉부 이외의 수술을 받는 환자들에 있어서 5-10%를 차지하며 고위험 환자에서는 22% 발생한다.

표 7-4. 호흡기계 합병증을 높이는 인자

흡연(현재 흡연자, 40갑년 이상 흡연)	ASA II 이상
70세 이상의 고령	만성폐쇄성 호흡기 질환(COPD)
경부, 흉부, 상복부, 대동맥, 신경계 수술	2시간 이상의 수술
정규 전신마취 수술(기관내 삽관)	알부민 <3 g/dL
운동능력의 감소(계단 한층을 올가 가지 못하는 경우)	30 이상의 체질량 지수(BMI)

ii. 잘 조절된 천식이나 스테로이드 치료를 받은 환자들에서 합병증 발생률은 낮은 것으로 연구됨. 고위험의 환자들은 사전에 호흡기내과 진료 및 진료 결과에 따라 항생제, 기도확장제, 스테로이드 등의 처방이 도움이 될 수 있으며, 수술의 연기가 필요할 수 있다.

iii. 동맥혈가스검사는 폐절제수술 후 폐기능 예측을 하는 목적으로는 유용하지만 합병증을 예측해주지는 못한다. 따라서 폐기능검사, 동맥혈가스검사, 폐 사진은 술 후 호흡기계 합병증 예측 목적으로는 일상적 검사에 포함시킬 필요는 없다.

iv. 수술 전 심호흡법이나 폐활량측정기 사용과 같은 폐 확장법에 대해 사전에 교육하는 것은 수술 후 교육보다 성과가 좋은 것으로 알려져 있다.

표 7-5. 미국 마취과학회 신체 상태 분류표(American society of Anesthesiology physical status classification)

미국마취과학회 신체 상태 분류(ASA PS Classification)	정의	예시
ASA I	정상 환자군	건강한 비흡연자로 비음주자 이거나 소량의 알코올 섭취
ASA II	경증의 전신질환 환자군	실제 기능상의 제한이 없는 경증의 질환. 예) 현재 흡연, 사교적인 음주, 임신, 비만(30<BMI<40), 잘 조절되는 당뇨/고혈압, 경증의 폐질환
ASA III	중증의 전신질환 환자군	실제 기능상의 제한; 하나 또는 그 이상의 중등도 이상의 전신질환. 예) 조절되지 않는 당뇨/고혈압, 만성폐쇄성폐질환, 심한 비만(BMI 40 이상), 활동성 간염, 알코올 의존 또는 중독, 심박동기 삽입, 심박출양의 감소, 정기적으로 투석을 받는 말기신장질환, 생후 60주 미만의 미숙아, 3개월 이상 경과한 심근경색증, 뇌졸중, 일과성허혈발작, 또는 관상동맥질환/스텐트시술
ASA IV	생명을 위협하는 중증의 전신질환 환자군	예) 최근 3개월 이내 발생한 심근경색증, 뇌졸중, 일과성허혈발작, 관상동맥질환/스텐트시술, 진행하는 심허혈 또는 심각한 심장판막부전, 심박출양의 심각한 감소, 패혈증, 범발성혈액응고장애, 진행성 신장 질환 또는 정기적인 투석을 시행하지 않은 말기신장질환
ASA V	수술없이 생존을 기대하기 어려운 죽어가는 환자군	예) 파열된 복부/흉부 대동맥류, 광범위한 외상, 뇌를 압박하는 두개골내출혈, 심각한 심장 문제 또는 다발성 장기부전을 일으키는 장허혈

ASA VI	장기 기증하는 뇌사 판정 환자군	

C. 당뇨

i. 수술 중 체내 대사 변화

- 수술 중 체내 포도당 대사 불균형을 최소화하기 위해 필요한 인슐린 용량은 시간 당 0.5~1.0 IU가 필요하며, 수술 중 저체온 또는 심장펌프기 사용 등 스트레스가 높은 수술에서는 시간당 1.5~5.0 IU 정도의 인슐린이 필요하다. 그러나, 인슐린 투여량은 환자마다 다를 수 있으므로 혈당 측정결과에 따라 투여량을 결정하는 것이 필요하다.

ii. 고혈당과 감염

- 혈당이 250 mg/dL 이상으로 지속적으로 상승해 있는 경우, 면역기능이 현저히 감소한다. 따라서 당뇨병환자에서 수술 전후 면역기능 저하를 예방하기 위해서는 적절한 혈당조절이 필수적이다.

iii. 고혈당과 혈전형성

- 혈당이 조절되지 않는 당뇨병환자인 경우 수술 시 혈전형성의 위험이 증가할 수 있으므로 수술 전 혈전형성 위험도에 대한 평가가 필요하다. 당뇨병에서 수술 시 혈전 형성의 위험도가 높은 인자로는 고령, 비만, 고지혈증, 고혈압, 신장기능 저하 등이 있으며 당뇨병성 만성합병증이 동반되어 있는 경우 역시 혈전 형성의 위험이 매우 증가한다.

iv. 저혈당

- 수술 전 약리 기전이 긴 경구혈당강하제를 복용하는 환자에서 발생 위험이 높으며, 수술 중 포도당이 포함되어 있지 않은 수액만을 공급하는 경우에 발생할 수 있다. 수술 시 저혈당은 환자가 의사를 표

시할 수 없기 때문에 간과될 경우, 치명적인 결과를 초래할 수 있다.

D. 신장 질환

i. 급성 신부전

- 신장전 질소혈증은 신장에서 관류의 급성 감소에 인한다. 신장질소혈증은 내인적 신장질환, 신장허혈, 신장독소에 의해 생긴다. 신장 후 질소혈증은 요로 폐쇄나 손상에 의해 생긴다. 신장 전 질소혈증과 신장 후 질소혈증은 초기에는 가역적이나 시간이 지남에 따라 신장질소혈증으로 된다.

ii. 만성 신부전

- 이 증후군은 적어도 3–6개월 이상 신장기능의 지속적이고 비가역적인 손상으로 사구체여과율이 60 mL/min 이하로 감소한 상태를 말한다. 15 mL/min 이하의 사구체여과율을 갖는 환자(말기 신부전, 요독증)는 장기이식 전까지는 투석을 하면서 살아간다. 투석은 동 · 정맥 누관을 이용한 간헐적인 혈액 투석과 카테터를 이식하여 시행하는 지속적 복막투석이 있다. 요독증의 전반적인 효과는 투석에 의해 잘 조절된다.

E. 갑상선 질환

i. 갑상선기능저하증이나 기능항진증의 병력을 가지고 있는 환자의 경우에는 갑상선자극호르몬(TSH)과 티록신(T4) 검사를 시행해야 한다. 응급 수술이 필요한 경증, 중등도의 갑상선기능저하증 환자는 바로 수술을 진행할 수 있다. 중증 갑상선기능저하증(점액부종 혼수, 정신수준 저하, 심막삼출, 심부전 또는 낮은 수준의 T4)의 환자는 응급 수술을 받는 환자는 정맥 레보티록신(200-500 ㎍, 30분 투여)투여하고, 이후 50–100 ㎍을 매일 투여해야 한다.

ii. 갑상선기능항진증 중 가장 흔한 원인은 그레이브스 병이다. 갑상선기능항진증에서 부정맥은 매우 흔하며, 심방 세동은 10-20%에서 발생한다. 갑상선기능항진증 환자는 수술 당일 오전에 항갑상선제를 복용하여야 하며, 경증 갑상선기능항진증 환자는 수술 전 β 차단제를 투여할 수 있다. 그러나 중등도 또는 중증의 경우는 상태가 호전될 때까지 수술을 연기해야 한다.

iii. 진단되지 않은 갑상선기능항진증이나 부적절한 치료를 받은 환자에서 갑상선중독발작이 일어날 수 있으며, 수술 중 또는 수술 후 48시간 이내에 발생한다. 이로 인한 사망률은 10-75%이며 중환자실에서 치료가 필요하다. 갑상선중독발작의 치료는 갑상선호르몬 생산을 중단하는 것이 목표이며, PTU는 500-1,000 mg으로 시작하고 4시간마다 250 mg을 투여하며, 메티마졸은 60-80 mg을 투여한다.

F. 부신 억제(Adrenal suppression)

i. 부신 부전의 가장 흔한 원인은 면역성 부신염이며, 부신 피질이 파괴되고 내인성 글루코코르티코이드의 스테로이드 생산이 감소되며 중단된다. 이차성 부신 부전은 부신피질자극호르몬(ACTH) 자극이 부족하여 부신 피질의 위축이 특징이다.

ii. 일반적으로 5일 이상 20 mg/일의 프레드니손을 투여 받은 환자는 시상하부 뇌하수체 부신 축(Hypothalamic-Pituitary-Adrenal Axis) 억제 위험이 있으며, 스테로이드 치료 기간이 1개월 이상인 경우 HPA 억제 효과가 나타나며 치료를 중단한 후 6-12개월 동안 지속될 수 있다. 반면에 프레드니손 5 mg 이하를 사용한 경우 HPA축을 억제하지 않는다.

일차성 부신기능부전
저나트륨혈증
고칼륨혈증
저혈압
호산구 증가증
또는
이차성 부신기능부전
5일간 프레드니솔론 20 mg (또는 동가 용량) 복용한 환자

처치	응급수술	긴급 또는 정규수술
소수술(Minor)		
국소마취하 시행되는 수술 또는 1시간 이내 소수술	하이드로코티손 25 mg (또는 동가용량) 정주	1) 스테로이드의 스트레스 용량 불필요 2) 평소 일일 용량 유지 3) 부신기능부전의 증상이나 증후가 있다면 수술 중 하이드로코티손 25 mg (또는 동가 용량) 정주
중수술(Moderate)		
대부분의 혈관 수술 또는 정형외과 수술	하이드로코티손 50 mg (또는 동가 용량) 정주	수술전 단순 ACTH 자극검사 a) 적절한 반응이 있다면 스트레스 용량은 필요없고 평소 일일 용량 유지 b) 부적절한 반응이거나 수술 중 부신기능 부전이 의심된다면 하이드로코티손 50 mg (또는 동가 용량) 정주
대수술(Major)		
2시간 이상 시행하는 광범위 수술과 심폐기를 이용하는 수술	하이드로코티손 100 mg (또는 동가 용량) 정주	수술전 단순 ACTH 자극검사 a) 적절한 반응이 있다면 스트레스 용량은 필요없고 평소 일일 용량 유지 b) 부적절한 반응이거나 수술 중 부신기능 부전이 의심된다면 하이드로코티손 100 mg (또는 동가 용량) 정주

■ 그림 7-1. 부신부전 환자의 수술 시 스테로이드에 대한 알고리즘
Adapted from Kohl BA, Schwartz S. How to manage perioperative endocrine insufficiency. Anesthesiol Clin. 2010;28:139-155

G. 간 위험도 평가

i. 만성 또는 말기 단계의 간질환 환자의 증가는 간이식을 하지 않은 상태에서 수술을 해야 하는 문제의 증가를 야기한다. 급성 간염(바

이러스 또는 알코올 유발) 환자는 질병 진행의 급성기가 지나고 간기능 검사가 정상으로 돌아올 때까지 수술을 연기한다. 황달, 응고병증, 간성 뇌증이 발생한 급성 간부전 / 극심한 간기능 부전이 있는 환자에서는 간이식 외의 수술은 금기이다.

ii. 만성 감염성 간염 환자에서는 수술을 견딜 수 있다.[1] 간질환의 중증도를 평가하는 것은 Child-Turcotte-Pugh (CTP), 말기 간질환 (MELD) 점수의 모델이라는 두 가지 분류 시스템이 있으며, 아래 그림 7-2와 같이 점수에 따라 수술 가능 여부가 결정된다.

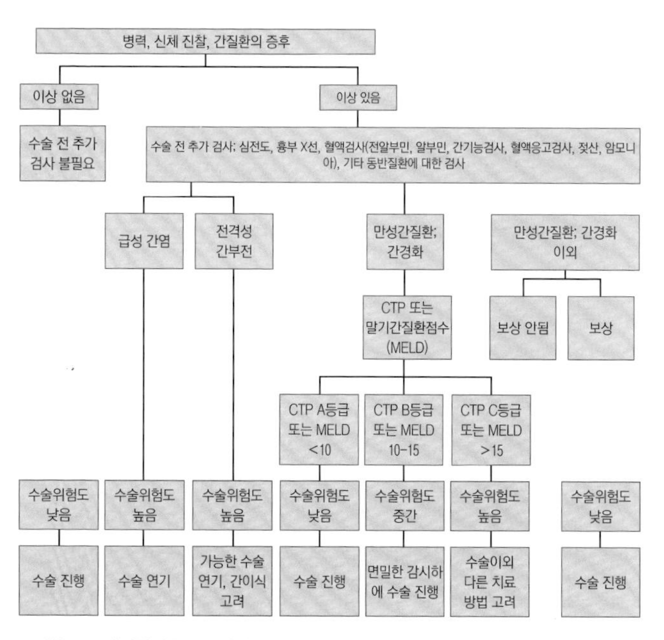

그림 7-2. 간질환의 중증도 평가. CTP: Child-Turcotte-Pugh

3. 수술 준비

A. 감염예방

i. 부인과 수술후의 상처나 골반감염은 복합균 감염(그람음성 간균, 그람양성 구균, 혐기균)이므로 예방을 위해서는 광범위 항생제를 사용해야 한다. 자궁절제술은 수술경로와 상관없이 1회 용량의 예방적 항생제를 투여해야 한다. 세파졸린을 포함한 대부분의 항생제는 피부절개 1시간 이내에 투여하며, 퀴놀론제제와 반코마이신이 필요한 경우는 2시간까지 허용된다. 수술 시간이 길어지면 항생제 반감기의 2배 이상이 될 때마다 추가 투여해야 한다. 1.5 L 이상의 출혈이 있을 시에도 추가 투여하여야 하며, 비만 환자는 증량하여야 한다. 감염성심내막염 고위험군이 고위험 수술을 받을 때는 예방적 항생제 투여가 필요하다.

ii. 예방적 항생제는 피부봉합 후에는 수술부위감염을 감소시킨다는 증거가 없어 수술 종료 24시간 이내 끊도록 권고하고 있다.

B. 장준비

i. 수술이 늦은 오후가 아니라면 수술 전날 자정부터는 먹거나 마시지 못하도록 해야 한다. 수술이 늦은 오후라면 당일 액체식이로 가벼운 아침식사를 할 수는 있으나 수술 6시간 이내는 금하도록 한다.

C. 혈전색전성질환 예방

i. 부인과 수술 후 사망의 40%는 폐색전증과 직접 연관이 있다고 보고되었으며, 자궁암과 자궁경부암 수술후 사망의 가장 빈번한 원인으로도 알려져 있다. 혈전은 주로 장딴지정맥에서 시작하며 대부분 수술 후 24 시간 내 발생한다. 예방을 위해서는 수술 전 입원기간을 줄이고 수술 후 빨리 걷게 하며, 누울 때는 장딴지를 심장보다 높게 유

지하여야 한다.

ii. 약물요법

① 저용량 헤파린을 수술 2시간 전과 수술 후 매 8-12시간마다 피하주사

② 저분자량 헤파린(low-molecular-weight heparin, LMWH): 반감기가 더 길어 하루에 1회만 사용하여도 된다.

iii. 물리적방법

① 압박양말(compression stocking)

② 간헐적 공기 압박(intermittent pneumatic compression)

표 7-6. 심부정맥혈전증 예방을 위한 Caprini Risk Score [2]

각 1점 위험인자
41-60세
다리 부종(현재)
정맥류성 정맥
비만(신체질량지수 25 초과)
소수술
패혈증(1개월 내)
급성심근경색
울혈성심장기능상실(1개월 내)
현재 안정가료 중인 내과질환자
큰수술 경력(1개월 내)
염증성장질환 병력
만성폐쇄성폐질환
폐렴 등의 중증 폐질환(1개월 내)
경구피임약 혹은 호르몬치료
임신 혹은 분만 후(1개월 내)
원인불명 사산, 반복 유산(3회 이상), 임신중독증 동반 조산 혹은 성장장애 조산

각 2점 위험인자
61-74세
관절경 수술
암(현재 혹은 이전)
복강경 수술(45분 초과)
72시간 이상 침대에 누운 환자
행동 제한 석고붕대(1개월 내)
중심정맥 접근
큰수술(45분 초과)
각 3점 위험인자
75세 이상
심부정맥혈전/폐색전증 병력
Factor V Leiden 양성
혈청 호모시스테인 상승
헤파린 유발 혈소판감소증
항카디오리핀항체 상승
프로트롬빈 20210A 양성
루푸스항응고인자 양성
기타 선천성 혹은 후천성 혈전성향증
각 5점 위험인자
뇌졸중(1개월 내)
다발성 외상(1개월 내)
주요 하지관절성형술
고관절, 골반 혹은 다리 골절(1개월 내)
급성 척수손상(마비)(1개월 내)

iv. Caprini Risk Score 합산점수에 따른 심부정맥혈전증의 예방법은 아래와 같다(표 7-6).

① 0: 조기보행

② 1-2: 저위험군: 압박양말 ± 간헐적 공기 압박

③ 3-4: 중등도위험군: 약물투여(저용량 헤파린 혹은 저분자량 헤파린) 혹은 간헐적 공기 압박

④ >4: 고위험군: 간헐적 공기 압박 + 약물투여(저용량 헤파린 혹은 저분자량 헤파린). 28일간 예방조치 고려

4. 피부 준비

① 수술 전 면도를 시행하면 그렇지 않은 경우에 비해 통계적으로 유의하게 수술부위 감염 발생이 증가하는 것으로 보고된 적이 있으나,[3] 수술 부위 감염을 줄이고 수술 후 드레싱 등이 용이할 수 있게 면도 방식이 아닌 수술 직전 제모(hair clipping)가 추천된다.

② 수술 직전 체모정리와 카테터 삽입 후 양손 골반진찰을 시행하고 회음부와 질, 복부 순으로 세척한다. 골반세척은 모든 부인과 수술에서 시행해야 한다. 질, 외음부, 회음 소독 후 복부는 포비돈-요오드액 혹은 유사한 용액을 사용하여 5분간 문지른다. 성경험이 없는 여성 환자의 경우 골반세척을 생략할 수 있다.

③ 피부소독은 위로는 흉곽하단에서 아래로는 넓적다리 중간까지, 옆으로는 앞 장골능선과 앞 겨드랑선까지 하며, 동심원으로 말단을 향해 진행한다.

5. 수술 후 관리

A. 수술 후 감시

i. 활력징후

기도 확립 및 호흡수, 심장박동수, 혈압, 체온 같은 활력징후 그리고 말초 산소포화(SpO_2), 심전도(ECG), 의식상태, 신경근육 기능, 통증, 오심 및 구토유무를 평가한다.

ii. 환자 모니터링

수술 후 환자의 수분 상태 평가는 배액관 손실을 포함한 환자의 섭취 배설량을 확인해야 하며, 수액 대체 및 전해질 교정을 시행하여 체액 평형을 유지한다. 소변량 배출이 시간당 30 mL 미만이면 임상적 주의를 요하며 시간당 20 mL 미만 시 소변 카테터 막힘 등을 확인 후 이상 없으면 요감소증의 원인을 신장전, 신장내 및 신장후 요인으로 구별하여 파악해야 한다. 일반 화학검사 및 소변 전해질검사를 이용한 혈액요소질소(BUN) 대 크레아티닌 비율, 나트륨 분획 배설(FeNa), 소변 현미경 분석을 이용한 원주(cast) 여부 등은 신장 손상 구별에 도움을 준다.

FeNa = [(혈청 크레아티닌 x 소변 나트륨) / (혈청 나트륨 × 소변 크레아티닌)] × 100

위 계산식으로 계산한 FeNa 값은 1% 미만이면 신장 전 손상을 의미하고, 2-3% 초과 시 신장 내 손상을 시사한다.

B. 수술 후 통증 조절

i. 아편유사 진통제

부인암 수술 후에 비경구적 투여로 자주 사용하는 아편유사 진통제는 모르핀, 펜타닐 및 하이드로모르폰 등이 있다. 모르핀과 하이드로모르폰은 각자 비슷한 작용시작 시간(2-3분)과 반감기(2시간)를 가지지만 반합성제인 하이드로모르폰이 모르핀보다 4-6배 강력하며, 합성제제인 펜타닐은 작용 시간이 1시간 정도로 짧으나 효과는 50-80배 강력하다.

ii. 비아편유사 진통제

① 비스테로이드소염제

이부프로펜, 케토롤락, 나프록센 및 고리형산소화효소2 (COX-2) 억제제는 광범위한 항염증 효과 및 해열 효과 외에 급성 통증 조절에도 효과적이다. 케토롤락은 펜타닐보다 작용시간이 늦지만 진통 효과는 모르핀과 비슷하다고 보고되며, 케토롤락 정맥 투여는 수술 후 심한 통증에 아편유사 진통제와 함께 많이 사용된다. 수술 후 통증 조절을 위하여 3-5일 지속적으로 투여 시 최고 효과를 얻을 수 있으나, 그 이후로는 부작용 위험성 때문에 투여 시 주의를 요한다. 선택적 COX-2억제제는 이러한 위장관 독성, 혈소판 기능장애 및 출혈 위험도는 적지만, 수술 전후에 심혈관 위험도를 증가시킬 수 있어 기존에 심혈관 병력이 없는 저 위험군에서 단기적인 투여를 고려한다.

② **아세트아미노펜**

소염제와 비교하여 진통 효과는 30% 적지만 부작용은 더 적다. 아세트아미노펜의 부작용 중 제일 우려되는 것은 간 독성이며, 특히 고령 및 만성 음주자는 주의를 요한다.[4]

C. 배액관리

① 배액관 삽입도 이물질로 감염을 일으킬 수 있으며, 삽입부위 출혈, 배액관 꼬임 및 헤르니아(hernia) 등의 합병증을 유발할 수 있다. 그러므로 배액관은 절개부위 치유 및 감염 방지를 위하여 개복 절개부위와 완전히 다른 작은 절개(보통 5-10 mm)를 통하여 배관되어야 하며, 출혈을 일으킬 수 있는 복벽혈관(epigastric vessel)을 피하고, 줄이 꼬이지 않도록 곧은 배관경로를 유지하며 복막에 고정하지 않도록 주의 해야 한다.

② 수술 후 배액관은 환자가 안정되고 양이 적어 역할이 필요 없는 경우 가능한 일찍 제거되어야 한다.

D. 수술 후 영양 보조

i. 유지수액요법

① 평균 성인에서 수술 후 유지 수액요법의 일일 요구량은 약 30 mL/kg/day (2,000-3,000 mL/day)이며, 주로 결정질(crystalloid) 수액으

로 주입하고, 저장성 및 등장성 생리식염수가 가장 많이 사용된다.

② 신기능이 정상일 경우 유지 수액은 1-1.5 mL/kg/hour로 주입하며, 정상적인 혈청 나트륨 수치를 가지고 있는 환자에서는 5% 포도당을 0.45% 생리식염수에 넣어 기저 인슐린 분비를 자극하고 근육의 파괴를 방지하지만, 이 보호 효과는 일시적이며 5일 이후에는 영양 보조를 하지 않으면 근육 소실이 생길 수 있다.

③ 정맥영양법(total parenteral nutrition, TPN)을 시행하는 경우는 영양액 투여 속도는 증가시키고 유지 수액 투여 속도는 같은 용량으로 줄여서 총 시간당 목표 주입량은 일정하게 유지해야 한다.

ii. 장관내 영양

① 많은 수술 후 환자에서는 24시간 이내의 조기 장관내 영양 섭취가 가능하며, 장폐쇄, 허혈, 급성 복막염 등과 같은 특별한 금기가 없는 한 24 시간 이내의 장관내 영양 공급을 시행한다.

iii. 정맥영양법

① 영양상태가 양호한 성인의 경우는 회복에 큰 영향 없이 약 7-10일간의 공복을 견디며, 공복 5일 이내는 수액요법에서 포도당 효과로 근육 파괴를 보호하기 때문에 비경구적 영양 보조는 수술 후 5-7일 이내는 시행하지 않는 것으로 미국 비경구적 및 경구적 영양학회(American Society for Parenteral and Enteral Nutrition, ASPEN)에서 권고하고 있다.[5]

② 수술 후 환자의 하루 필요 칼로리를 약 20-25%는 단백질로, 약 10-20%는 지질 유제로 그리고 약 50-60%는 탄수화물로 제공된다. 단백질은 4 kcal/g의 열량으로 수술 후 환자에서 면역 기능을 유지, 상처 치유 및 근육량 유지를 위하여 1.2-2 g/kg/day의 단백질 공급을 필요로 한다. 지질은 9 kcal/g의 고열량 에너지원으로 1 g/kg/day를 공급하고 탄수화물은 총 필요열량, 단백질과 지질 함량을 고려하여 용량을 보정할 수 있으나 당산화(glucose oxygenation)를 고려

하여 주입 속도는 1 g/kg/day를 초과하지 않도록 한다.

6. 수술 후 합병증

A. 호흡성 합병증

i. 무기폐

가장 흔한 수술 후 폐 합병증, 대부분 무증상 또는 저산소혈증과 호흡수가 증가하는 양상으로 나타날 수 있다. 대부분의 무기폐는 호전되지만, 기도 분비물이 풍부하지 않은 경우는 지속적 양압 호흡과 기도 분비물이 풍부한 경우는 흉부 물리요법 및 흡입(suction) 배출이 치료에 도움이 된다.[6]

ii. 폐부종(pulmonary edema)

대부분 심부전과 연관되어 폐정맥에 체액이 체류되고 모세 혈관 내의 정수압이 증가하여 발생하거나 적극적 수액 소생요법처럼 수액 과부하 때에도 나타난다. 대부분의 경우 경미한 폐부종은 이뇨 및 수분제한 후 신속하게 호전된다.

iii. 급성호흡곤란증후군(acute respiratory distress syndrome, ARDS)

- 가장 흔한 원인으로는 패혈증, 폐렴, 흡인, 심한 외상 및 대량수혈 등이 있다. 보조 호흡근육의 과장된 사용으로 시사되는 호흡노력의 증가, 호흡곤란 및 과호흡을 나타낼 수 있으며, 청진상 수포음과 동맥혈검사상 낮은 동맥혈산소분압(PaO_2)과 높은 이산화탄소분압($PaCO_2$)을 보인다.
- ARDS의 관리는 근본적 원인을 치료하고 폐포에 대한 추가적 손상 외상을 피하기 위해 낮은 일회호흡량으로 폐를 보호하는 환기법(lung protective ventilation)을 사용하여 관리하지만, ARDS는 적극적인 치료에도 불구하고 사망률은 여전히 높다.

B. 심장성 합병증

i. 수술 후 고혈압

① 수술 후 고혈압은 통증 조절을 위한 적절한 진통제 조절 및 고혈압 치료약물의 복용 재개 등으로 많은 경우에서는 자연스럽게 해결될 수도 있으나, 수술 직후 고혈압을 평가할 때는 동맥혈 가스 검사 및 심전도 검사를 통해 증명되는 적절한 환기 및 안정된 심장 상태를 확인해야 한다.

② 새로 발생한 심한 고혈압 및 고혈압성 위기 같은 응급 상황에서는 혈압을 낮추기 위하여 빠른. 작용 시간, 짧은 반감기 및 자율 신경 부작용이 적은 치료제를 투여하며, 혈관 확장제인 니트로푸루시드(nitroprusside)와 니트로글리세린(nitroglycerin), 베타 차단제를 주로 사용한다.

③ 급한 환경에서 허혈성 뇌졸중과 장기의 저 관류 손상을 피하기 위해 혈압을 25% 이상 급격하게 낮추지 않는 것이 중요하며 환자의 상태가 안정되면 더 오래 지속되는 약물로 변경한다.

ii. 수술 후 심근허혈 및 심근경색

① 심근 경색을 포함하며 총괄적으로 심근관류 및 요구 불균형의 임상학적 증상을 나타내는 급성관상동맥증후군은 ST분절상승심근경색증(ST-segment elevation myocardial infarction, STEMI), 불안정성협심증 및 ST분절비상승심근경색(Non ST-segment elevation myocardial infarction, NSTEMI) 등으로 구별되며, 수술 후 치료에 영향을 미치기 때문에 구별에 주의를 요한다.

② 수술 후 대부분의 안정된 NSTEMI의 경우 종종 내과적으로 관리될 수 있으나, STEMI 또는 혈역학적 불안정성을 보이는 경우 환자는 신속한 혈관조영술 및 관상동맥중재술 같은 재관류요법이 필요할 수 있다.

③ 심근경색은 대부분 수술 첫 3일 동안 가장 위험하며, 이 시기에는

수술 후 진통제 투여 등으로 허혈증상이 은폐될 수 있어 진단하기 어려울 수 있다. 전형적인 좌측으로 방사되는 가슴 통증은 종종 나타나지 않을 수 있으며, 수술후 호흡곤란 및 가슴 통증은 불편함보다는 심근경색을 의심하고 심전도변화 및 심장표지자(cardiac biomarkers)등을 주의 깊게 확인해야 한다.

④ 심근경색에서는 크레아티닌 인산화 효소 MB 동종효소(CK-MB)와 트로포닌(troponin)과 같은 심장표지자들이 혈액으로 방출되며 심근경색 진단에 도움이 되지만 심근손상 후 3시간 후부터 증가하기 시작하므로, 그 이전에 심전도 변화 및 혈역류학적 불안정성이 있으면, 고속(high flow) 산소의 투여, 심장중환자실 이송 및 재관류 치료 위한 심장 전문의의 자문 등 적극적인 관여가 필요하다.

C. 수술 후 발열

i. 발열은 일반적으로 수술에 대한 정상적인 염증 반응일 수 있지만, 38.0 ℃ 이상의 수술 후 발열은 감염성 원인도 고려해야 한다.

ii. 수술 후 첫 48시간 이내에 발열은 수술에 대한 신체의 신진 대사 반응 또는 무기폐가 흔하며 자체 제한적인 저등급 발열이 발생할 수 있다.

iii. 수술 후 2일에서 7일 사이의 발열은 보통 감염으로 인한 것으로 요로감염, 폐렴, 상처 및 수술 부위 감염을 반영할 가능성이 더 크며, 삽입관 문제와 심부정맥혈전증도 고려해야 한다.

iv. 수술 후 7 일 이상 발열은 농양 형성으로 인한 것일 수 있으며, 발열의 원인이 감염과는 별도로 약물, 수혈 및 뇌간 문제 또한 신체 온도의 상승을 일으킬 수 있다.

v. 감염성의 경우는 모든 감염원은 혈관 파종으로 패혈증을 일으킬 수 있어 패혈증에 대하여 신속하게 인식하고 치료할 수 있어야 한다. 광범위 항생제를 우선 투여하고 원인감염균을 알기 위한 배양검사

를 시행하고 결과가 확인되면 항생제를 조정한다.

D. 수술 후 신장기능장애

i. 세계 신장병예후 개선위원회(Kidney Disease Improving Global Outcomes, KDIGO) 정의에 따라 수술 후 48시간 이내 혈장 크레아티닌 수치가 0.3 mg/dL 이상 상승하거나 또는 1주일 이내에 혈장 크레아티닌 수치가 기저 값보다 1.5배 이상 증가 시 신장 제거 기능이 감소한 것을 시사하며, 이외에도 소변량 기준으로 6시간 동안 0.5 mL/kg/h 미만의 소변 감소가 있는 경우 급성신장손상으로 진단한다.

ii. 신장전 급성신장손상은 출혈이나 탈수 등에 의한 혈량저하가 가장 많고, 그 외에 저혈압, 심부전에 의한 심박출량 감소, 패혈증 및 NSAID 같이 신장에서 수입 세동맥 확장을 억제하는 약물에 의하여 생긴다.

iii. 신장내 요소로는 허혈 또는 조영제 및 항생제 같은 신장 독성 약물에 의한 급성 요세관 괴사 및 신장염 등에 의하여 발생하며, 신장 후 원인으로는 신경 손상 및 약물 등에 의한 방광 기능장애 그리고 요로계 폐쇄에 의하여 발생한다.

iv. 수술 후에 발생하는 급성신장손상은 대부분 혈량저하에 의한 신장전인 경우가 많으며 수술 중에 발생한 요관 폐쇄 또는 기저 신장 질환의 악화 등이 있다.

v. 급성신장손상 치료는 체액 및 전해질에 대한 정밀한 관리, 수액 투여에 대한 신중한 모니터링, 신독성 제제 투여 방지, 적절한 영양 공급 및 신기능 회복 전까지 신장으로 배설되는 약물의 투여량을 조절해야 한다. 보존적 치료에도 불구하고 지속적 요감소 및 용적 과부하, 불응성전해질불균형과 대사성산증 그리고 요독증이 있는 경우는 혈액 투석을 고려한다.

E. 혈전색전증

i. 심부정맥혈전증(deep vein thrombosis, DVT) 및 폐색전증(pulmonary embolism)을 합쳐 정맥혈전색전증(venous thromboembolism, VTE)이라 하며, 혈관내막손상, 혈류의 정체 및 응고 항진 상태에 의해 유발된 응고 항상성의 장애로 발생한다.

ii. 심부정맥혈전증 진단은 정맥 도플러 초음파 및 압박 초음파 검사를 포함하는 이중(duplex) 초음파검사 및 대조 정맥 촬영술을 시행한다. 나선 컴퓨터단층촬영(spiral computed tomography)을 이용한 CT 혈관 조영술은 폐색전증 진단에 유용하다.

iii. 헤파린 부하용량은 일반적으로 초기에 정맥내 80 U/kg을 투여하며, 이어서 18 U/kg/h로 지속 주입하고, 활성화 부분 트롬보플라스틴시간(aPTT)이 기준치보다 2배 이내에 유지하도록 조절한다.

iv. 급성기 적절 치료 후에는 경구용 와파린으로 계속 투여한다. 적절한 항 응고 치료에도 불구하고 지속적 색전형성 시 또는 와파린 사용이 금기인 환자의 경우는 하대정맥 필터를 사용하여 정맥 혈전을 걸러낼 수 있으며, 생명을 위협하는 광범위 폐색전은 정맥을 통한 흡입 색전제거술 또는 개흉 후 폐동맥색전제거술이 필요할 수 있다.

참고문헌

1. Hanje AJ, Patel T. Preoperative evaluation of patients with liver disease. Nature Reviews Gastroenterology & Hepatology 2007;4:266.
2. Gould MK, Garcia DA, Wren SM, Karanicolas PJ, Arcelus JI, Heit JA, et al. Prevention of VTE in Nonorthopedic Surgical Patients: Antithrombotic Therapy and Prevention of Thrombosis, 9th ed: American College of Chest Physicians Evidence-Based Clinical Practice Guidelines. CHEST 2012;141:e227S-e77S.

3. Bird BJ, Chrisp DB, Scrimgeour G. Extensive pre-operative shaving: a costly exercise. N Z Med J 1984;97:727-9.
4. Lovich-Sapola J, Smith CE, Brandt CP. Postoperative pain control. Surg Clin North Am 2015;95:301-18.
5. Taylor BE, McClave SA, Martindale RG, Warren MM, Johnson DR, Braunschweig C, et al. Guidelines for the Provision and Assessment of Nutrition Support Therapy in the Adult Critically Ill Patient: Society of Critical Care Medicine (SCCM) and American Society for Parenteral and Enteral Nutrition (A.S.P.E.N.). Crit Care Med 2016;44:390-438.
6. Miskovic A, Lumb AB. Postoperative pulmonary complications. Br J Anaesth 2017;118:317-34.

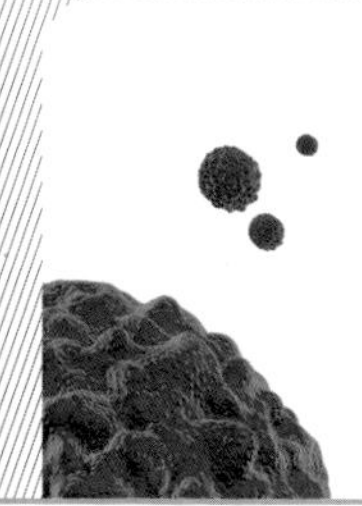

8 SECTION 완화의료

1. 완화의료와 삶의 질

A. 완화의료의 개념

완화의료(supportive care)란 증상을 경감 또는 없애거나 예방하기 위해 행해지는 다학제적 의료(multidisciplinary care)로 정의된다. 완화의료의 대상자는 말기 암 환자가 주인데, 암 관리법상 말기 암 환자의 정의는 '적극적 치료에도 불구하고 근본적 회복이 불가능하고 점차 증상이 악화되어 수개월 내에 사망할 것으로 예상되는 암 환자'라 할 수 있다.[1]

B. 부인암 환자에서 삶의 질 평가

i. 암관련 일반적 삶의 질 평가척도[2-4]

FACT-G, EORTC QLQ-C30

ii. 암관련 질환-특이적 삶의 질 평가척도[5-8]

(난소암) FACT-O, EORTC QLQ-OV28 (자궁경부암) FACT-Cx, EORTC QLQ-CX24, (자궁내막암) FACT-En, EORTC QLQ-EN24

2. 암성 피로

A. 암성 피로의 유발요인

i. 발생 기전: 시상하부-뇌하수체축(hypothalamic-pituitary-adrenal, HPA) 기능 혹은 염증 반응(pro-inflammatory cytokine)의 조절 장애 등으로 설명되나 아직 명확히 밝혀지지 않음

ii. 교정 가능한 원인들

빈혈, 갑상선기능저하증, 조기폐경, 통증, 불안과 우울감, 스트레스, 수면 장애, 영양상태 불균형, 신체기능의 감소, 약물 부작용 등

B. 암성 피로의 평가

i. 숫자척도등급[9]

① 피로가 없는 경우 0점, 상상할 수 있는 가장 심한 피로가 10점

② 경증: 0-3점, 중등도: 4-6점, 중증: 7-10점

C. 암성 피로의 관리(그림 8-1) [10]

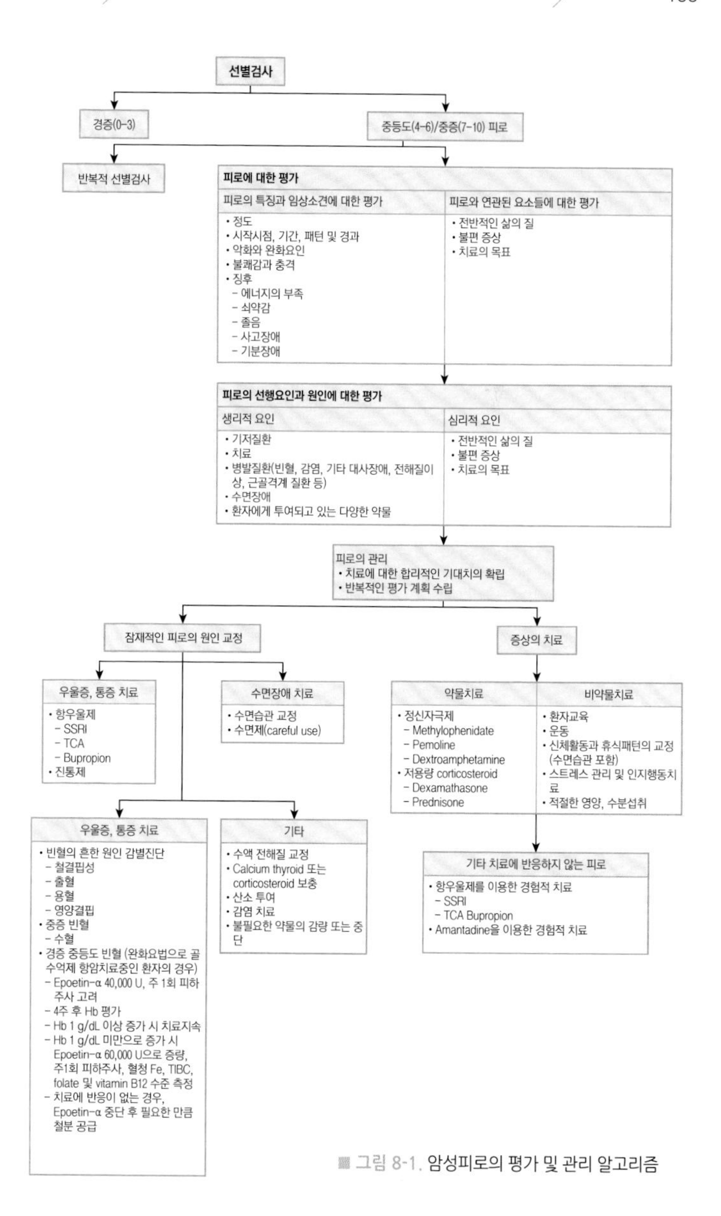

■ 그림 8-1. 암성피로의 평가 및 관리 알고리즘

3. 통증 관리

A. 통증의 종류

i. 생리학적 기전에 따른 분류

① 통각수용통증(nociceptive pain): 체성 통증, 내장성 통증

② 신경병증통증(neuropathic pain)

ii. 시간적 발생 양상에 따른 분류

① 지속 통증

② 돌발 통증

B. 암성 통증 조절의 일반적 원칙

i. 개개인 별로 적합한 치료 방법을 선택

ii. 다학제적 치료 계획

iii. 통증 관리에 대한 환자 및 가족 교육

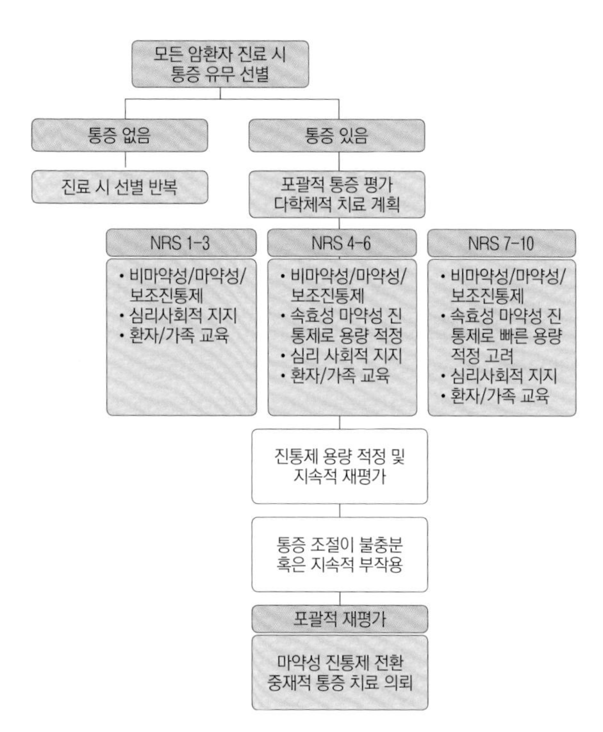

그림 8-2. 암성 통증 선별, 평가 및 치료 흐름도, 암성통증관리지침 권고안 6판, 보건복지부

C. 마약성 진통제

i. 일반 원칙

① 진통제 투여 경로는 경구를 우선으로 하되, 상황에 따라 적절한 경로 선택

② 적정 용량은 부작용 없이 통증이 조절되는 용량으로 환자마다 개별화하여 투여

③ 신기능/간기능 저하, 만성 폐질환, 호흡기 합병증, 전신 쇠약 환자의

경우 용량 적정에 주의

④ 서방형 진통제는 주기적으로 투여하고, 돌발 통증에 대비하여 속효성 진통제 처방

⑤ 고용량 진통제 필요 시 복합 성분 마약성 진통제보다 단일 성분으로 투여

⑥ 용량을 충분히 증량해도 통증이 지속되거나 부작용 발생 시 통증을 재평가하고, 진통제 전환(rotation), 보조진통제 투여, 중재적 통증 치료 등 고려

ii. 마약성 진통제의 종류 및 선택

① 순수 작동제, 부분 작동제, 혼합형 작동-길항제로 분류

② 암성 통증에는 순수 작동제를 투여함. 단, 페치딘은 반복 투여 시 대사 산물 축적으로 인한 부작용으로 사용하지 않음

iii. 마약성 진통제의 용량 적정

① 마약성 진통제 투여력 없는 경우 초기 용량은 경구 모르핀 5-15 mg(혹은 동등 용량의 다른 마약성 진통제), 마약성 진통제 투여 중인 환자의 경우 이전 24시간 투여량의 10-20%를 속효성 제제로 투여

② 경구 속효성 제제는 투여 60분, 주사제는 15분 후 진통 효과와 부작용 평가

③ 통증 감소하면 동일 용량으로 필요 시 반복 투여

④ 통증이 지속 또는 악화되는 경우 용량을 50-100% 증량하여 투약 후 재평가, 통증이 감소할 때까지 2-3회 반복

⑤ 용량 증량을 반복해도 통증이 조절되지 않으면 통증을 포괄적으로 재평가하고 주사제로 용량 적정 및 치료 계획 재검토

⑥ 속효성 진통제로 통증이 조절되면 이전 24시간 동안 투여한 진통제 총량에 근거하여 지속성 진통제(속효성 진통제 24시간 요구량의 50%) 및 돌발 통증에 대비한 속효성 진통제 처방

⑦ 통증이 NRS 3점 이하이면서 부작용 발생 시 용량을 10-25% 감량

후 재평가

iv. 돌발 통증 관리

① 돌발 통증에 대비하여 속효성 진통제(이전 24시간 투여된 마약성 진통제의 10-20%)를 처방

② 펜타닐 경점막 속효성 제제는 경구 모르핀으로 60 mg/일 이상의 용량으로 1주일 이상 투여한 환자의 돌발 통증 조절 위해 투여. 마약성 진통제를 처음 사용하는 환자에서는 사용하지 않음

표 8-1. 국내 시판 마약성 진통제

성분명	제형	비고
Morphine	경구 서방형 / 속효성 주사제	신기능 저하 시 주의
Oxycodone	경구 서방형 / 속효성 주사제	
Oxycodone/ Naloxone복합	경구 서방형	
Hydromorphone	경구 서방형 / 속효성	
Hydrocodone/ Acetaminophen복합	경구 속효성	
Fentanyl	경피 패치, 경점막 속효성, 주사제	경점막 제제: 최소 용량 제형으로 투여 시작하여 증량
Codeine	경구 속효성	신기능 저하 시 주의 최대 240 mg/day
Codeine/Ibuprofen/ Acetaminophen 복합	경구 속효성	신기능 저하 시 주의
Tramadol	경구 서방형, 주사제	Tramadol성분 최대 400 mg/day TCA/SSRI병합 투여 시 주의
Tramadol/ Acetaminophen 복합	경구 서방형 / 속효성	
Buprenorphine	경피 패치	최대 20 μg/hr
Tapentadol	경구 서방형 / 속효성	

표 8-2. 펜타닐 경피 패치 동등 진통 용량표

펜타닐 경피 패치	정맥/피하 Morphine/24 hr	경구 Morphine/24 hr
12 mcg/hr	10 mg	30 mg
25 mcg/hr	20 mg	60 mg
50 mcg/hr	40 mg	120 mg
75 mcg/hr	60 mg	180 mg
100 mcg/hr	80 mg	240 mg

4. 오심 및 구토

A. 항암화학요법 유발성 오심 구토(Chemotherapy induced nausea and vomiting, CINV)

i. 종류[11]

① 급성(acute onset): 24시간 이내, 대부분 약물 투여 5-6시간 후에 강도가 가장 심함

② 지연성(delayed onset): 24시간 이후 발생, 48-72시간 후 가장 심하여 6-7일간 지속

③ 예기성(anticipatory): CINV 경험한 환자가 다음 번 항암화학요법 시작 전 발생

④ 돌발성(breakthrough): CINV 예방조치에도 불구하고 나타나는 오심이나 구토

표 8-3. 항암화학요법 제제 별 오심과 구토 유발 위험도

High-risk	Moderate-risk	Low-risk	Minimal-risk
Cisplatin Carboplatin AUC≥4 Cyclophosphamide >1500 mg/m^2 Doxorubicin ≥60 mg/m^2	Carboplatin AUC<4 Irinotecan Ifosfamide <2 g/m^2 per dose	Paclitaxel Docetaxel Gemcitabine Topotecan Etoposide 5-Fluorouracil Liposomal doxorubicin	Bleomycin Vincristine Vinorelbine Bevacizumab Pembrolizumab

ii. 항구토제의 종류

① 세로토닌 5-HT3 수용체 길항제(5-HT3 serotonin receptor antagonists, 5-HT3 RA)

: Ondansetron (Zofran®) / Granisetron (Kytril®) / Palonosetron

(Aloxi®) / Ramosetron (Nasea®)

② 뉴로키닌-1 수용체 길항제(Neurokinin-1 receptor antagonists, NK1 RA)

: Aprepitant (Emend®), Fosaprepitant (Emend®IV), Netupitant/Palonosetron 복합제제(Akynzeo®)

③ 부신피질호르몬(Corticosteroids)

: Dexamethasone

④ 기타 제제

: Metoclopramide, lorazepam, olanzapine

표 8-4. 고위험 및 중등도위험 구토유발군 항암제에 의한 CINV의 예방

고위험	A	Day1	Day2	Day3	Day4
		NK1 RA + 5-HT3 RA + Dexamethasone 12 mg	NK1 RA* + Dexamethasone 8 mg	NK1 RA* + Dexamethasone 8 mg	Dexamethasone 8 mg
	B	Olanzapine + Palonosetron + Dexamethasone 12 mg	Olazapine	Olanzapine	Olanzapine
	C	Olazapine + NK1 RA + 5-HT3 RA + Dexamethasone 12 mg	Olazapine + NK1 RA* + Dexamethasone 8 mg	Olazapine + NK1 RA* + Dexamethasone 8 mg	Olanzapine + Dexamethasone 8 mg
중등도 위험	D	5-HT3 RA + Dexamethasone 12 mg	5-HT3 RA 또는 Dexamethasone 8 mg	5-HT3 RA 또는 Dexamethasone 8 mg	
	E	Olazapine + Palonosetron + Dexamethasone 12 mg	Olanzapine	Olanzapine	
	F†	NK1 RA + 5-HT3 RA + Dexamethasone 12 mg	NK1 RA* ± Dexamethasone 8 mg	NK1 RA* ± Dexamethasone 8 mg	

*D1에 Aprepitant 125 mg PO로 투약한 경우에만 D2,3일에 Aprepitant 80 mg PO로 투약
다른 NK1 RA 제제는 D1에만 투약.
†이전의 5-HT3 RA+dexamethasone 치료에 실패한 환자의 경우에 선택적으로 시행
NCCN guideline. Antiemesis. Version.1. 2019.

iii. 돌발성 오심/구토의 치료 원칙
① 사용 했던 약물과 다른 기전의 약물을 추가하는 것이 원칙
② 사용 가능한 약제들: olanzapine, lorazepam, metoclopramide, corticosteroids 등

5. 설사 및 변비

A. 설사

i. 설사의 정도(CTCAE v5.0)
① Grade 1: 평소보다 배변 회수가 〈4회 증가
② Grade 2: 평소보다 배변 회수가 4-6회 증가, 장루 배설양이 중등도로 증가
③ Grade 3: 평소보다 배변 회수가 7회 이상 증가, 일상생활 수행능력(ADL) 저하
④ Grade 4: 생명을 위협할 정도의 심한 설사

ii. 경도(grade 1-2) 설사
① Loperamide: 초회 4 mg, 이후 4시간 간격 2 mg(하루 최대 16 mg) 투여 후 12-24시간 후 재평가 하여 설사가 멈춘 지 12시간 째 중단
② Loperamide에 불응하는 설사인 경우 변검사 시행 후 octreotide, 항생제 처방 고려

iii. 중등도 이상(grade 3-4) 설사
① 입원 및 수액 치료 필요
② 변검사(C.difficle, stool Hb, WBC 등), 혈액검사(CBC, 전해질검사 등) 실시
③ Octreotide 0.1-0.5 mg tid SC
④ 항암화학요법에 의한 설사인 경우 우선 중단 후 회복 시 항암제 감량 필요

B. 변비

i. 변비의 원인

: 마약성 진통제 등 약제 사용, 대사적 원인(고칼슘혈증, 저칼륨혈증 등), 장폐색 등

ii. 변비 치료

① 수분 섭취와 신체 활동 권장

② 장폐색을 배제한 후, 자극성 완하제(bisacodyl) 또는 대변 연하제(laxatives) 투여

③ 효과가 없으면, 다른 기전의 완하제 투여 고려, metoclopramide와 같은 제제나 관장 등을 추가해 볼 수 있음

④ 골수기능저하 시 항문 좌제(rectal suppository) 사용은 주의

표 8-4. 완하제의 종류

삼투성 완하제 고삼투성 완하제 염류성 완하제	 Lactulose, sorbitol, polyethylene glycol (PEG) 등 Mg hydroxide, Mg citrate 등
자극성 완하제 계면활성제 폴리페놀 제제	 Docusate, 피마자 기름 등 Bisacodyl 등

6. 진행성 및 재발성 부인암에서 삶의 질 관련 증상

A. 호흡곤란(dyspnea)

i. 호흡곤란의 원인

: 흉막삼출과 같은 폐쇄성 원인, cachexia 및 쇠약, 대사성 산증이나 빈혈과 같은 환기요구 증가

ii. 호흡곤란의 관리

① 치료 가능한 호흡곤란의 원인 평가

② 기저 원인에 대한 치료

: 항암화학요법/방사선치료, 흉강천자(thoracentesis) 또는 화학적 흉막유착술(pleurodesis), 이뇨제, 스테로이드제, 항생제, 수혈 등

③ 증상 완화

: 산소 공급, 스트레스 관리, 약물 치료(마약성 진통제, 불안이 동반된 경우에는 lorazepam 고려) 등

B. 장폐색[12-14]

i. 장폐색의 평가

: 장폐색의 원인, 폐색의 수 및 위치, 환자의 기대 여명 등을 평가

ii. 장폐색의 처치

① 장폐색이 한 곳에 국한되어 있고 기대여명이 긴 경우

: 폐색부위의 절제 혹은 우회로 수술 고려

② 장폐색이 다발성으로 존재하고 기대여명이 길지 않은 경우

: 경피적 내시경 위조루술(percutaneous endoscopic gastrostomy), 위장관액 분비 감소를 위한 octreotide 사용, 비경구영양법(TPN) 등 고려

C. 누공(fistula)

i. 요관 누공

: 카테터 배액술, 경피적콩팥창냄술(PCN) 등 고려

ii. 대장-질 누공

: 고리결장창냄술(loop colostomy), 끝결장창냄술(end colostomy) 시행

참고문헌

1. Cancer control act, Law No.11690 (Mar 23, 2013).
2. Basen-Engquist K, Bodurka-Bevers D, Fitzgerald MA, Webster K, Cella D, Hu S, et al. Reliability and validity of the functional assessment of cancer therapy-ovarian. J Clin Oncol 2001;19:1809-17.
3. Wenzel L, Huang HQ, Monk BJ, Rose PG, Cella D. Quality-of-life comparisons in a randomized trial of interval secondary cytoreduction in advanced ovarian carcino ma: a Gynecologic Oncology Group study. J Clin Oncol 2005;23:5605-12.
4. Vergote I, Trope CG, Amant F, Kristensen GB, Ehlen T, Johnson N, et al. Neoadju vant chemotherapy or primary surgery in stage IIIC or IV ovarian cancer. N Engl J Med 2010;363:943-53.
5. McQuellon RP, Thaler HT, Cella D, Moore DH. Quality of life (QOL) outcomes from a randomized trial of cisplatin versus cisplatin plus paclitaxel in advanced cervical cancer: a Gynecologic Oncology Group study. Gynecol Oncol 2006;101:296-304.
6. Monk BJ, Huang HQ, Cella D, Long HJ, 3rd. Quality of life outcomes from a random ized phase III trial of cisplatin with or without Topotecan in advanced carcinoma of the cervix: a Gynecologic Oncology Group Study. J Clin Oncol 2005;23:4617-25.
7. Bruner DW, Barsevick A, Tian C, Randall M, Mannel R, Cohn DE, et al. Randomized trial results of quality of life comparing whole abdominal irradiation and combi nation chemotherapy in advanced endometrial carcinoma: A gynecologic oncology group study. Qual Life Res 2007;16:89-100.
8. Nout RA, Putter H, Jurgenliemk-Schulz IM, Jobsen JJ, Lutgens LC, van der Steen-Banasik EM, et al. Quality of life after pelvic radiotherapy or vaginal brachytherapy for endometrial cancer: first results of the randomized PORTEC-2 trial. J Clin Oncol 2009;27:3547-56.
9. Aistars J. Fatigue in the cancer patient: a conceptual approach to a clinical problem. Oncol Nurs Forum 1987;14:25-30.
10. Portenoy RK, Itri LM. Cancer-related fatigue: guidelines for evaluation and man agement. Oncologist 1999;4:1-10.
11. NCCN Clinical Practice Guidelines in Oncology: Antiemesis, version 1.2019.;

c2019[cited 2019 Jun]. Available from: https://www.nccn.org/professionals/physi cian_gls/pdf/antiemesis.pdf.

12 Bryan DN, Radbod R, Berek JS. An analysis of surgical versus chemotherapeutic intervention for the management of intestinal obstruction in advanced ovarian cancer. Int J Gynecol Cancer 2006;16:125-34.

13. Pothuri B, Meyer L, Gerardi M, Barakat RR, Chi DS. Reoperation for palliation of recurrent malignant bowel obstruction in ovarian carcinoma. Gynecol Oncol 2004;95:193-5.

14. Mangili G, Aletti G, Frigerio L, Franchi M, Panacci N, Vigano R, et al. Palliative care for intestinal obstruction in recurrent ovarian cancer: a multivariate analysis. Int J Gynecol Cancer 2005;15:830-5.

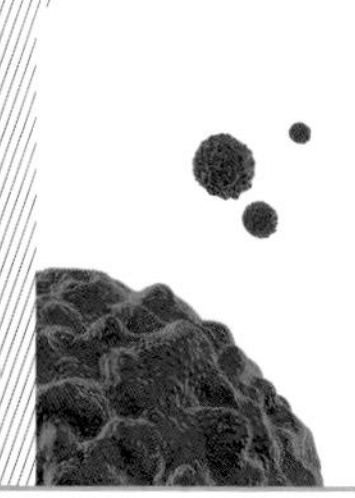

9
SECTION

항암제 심평원 공고안

항암제 공고안

개정 2020.3.25. 공고 제2022-190(2022.8.1. 시행)

국내 항암화학요법 공고안과 허가초과 항암화학요법은 http://www.hira.or.kr 에서 확인가능함.
건강보험심사평가원>의료정보>의약품정보>암질환사용약제 및 요법>항암화학요법

난소암/난관암/일차복막암(Ovarian Cancer/Fallopian Tube Cancer/Primary Peritoneal Cancer)

- 투여대상은 조직학적으로 epithelial cell carcinoma에 해당함
- 진행성은 stage Ⅲ 또는 Ⅳ인 경우를 의미함(Cancer: Principles & Practice of oncology)
- 공고요법 중 투여대상이 Malignant germ cell tumor 또는 sex-cord stromal tumor로 명시된 경우 생식세포종양의 공고요법도 인정함
- 공고요법 중 투여대상이 ovarian carcinosarcoma로 명시된 경우 연조직육종의 공고요법도 인정함

1. 선행화학요법(neoadjuvant)

연번	항암요법	투여대상
1	paclitaxel + carboplatin	수술 불가능한 stage Ⅲc~Ⅳ (투여기간: 3주기)

2. 수술후보조요법(adjuvant)

연번	항암요법	투여대상
1	docetaxel + carboplatin	가. stage IA (Grade 2, 3) 나. stage IB (Grade 2, 3) 다. stage IC 이상
2	docetaxel + cisplatin	
3	paclitaxel + cisplatin	
4	paclitaxel + carboplatin	가. stage IA (Grade 2, 3) 나. stage IB (Grade 2, 3) 다. stage IC 이상 라. Sex Cord-Stromal Tumors
5	paclitaxel + cisplatin (Intra-peritoneal)	stage Ⅲ인 환자에서 수술 후 잔류종양이 1 ㎝ 이하인 경우

3. 고식적요법(palliative)

연번	항암요법	투여대상	투여단계
1	ifosfamide + cisplatin	ovarian carcinosarcoma	1차 이상
2	ifosfamide + etoposide		
3	carboplatin	진행성 또는 전이성 또는 재발성 난소암, 난관암, 일차복막암	1차 이상
4	carboplatin + cyclophosphamide		2차 이상
5	cisplatin		
6	cyclophosphamide + doxorubicin + cisplatin		
7	cyclophosphamide + cisplatin		
8	etoposide (IV, PO)		
9	vinorelbine		
10	vinorelbine + cisplatin		

<table>
<tr><th>연번</th><th>항암요법</th><th>투여대상</th><th>투여단계</th></tr>
<tr><td>11</td><td>docetaxel</td><td>가. 재발성
나. 재발성 생식세포종양</td><td>1차 이상</td></tr>
<tr><td rowspan="2">12</td><td rowspan="2">paclitaxel</td><td>가. 재발성</td><td>1차 이상</td></tr>
<tr><td>나. 재발성 생식세포종양</td><td>2차 이상</td></tr>
<tr><td>13</td><td>docetaxel + carboplatin</td><td rowspan="3">가. stage IA (Grade 2, 3)
나. stage IB (Grade 2, 3)
다. stage IC 이상
라. 재발성</td><td rowspan="3">1차 이상</td></tr>
<tr><td>14</td><td>docetaxel + cisplatin</td></tr>
<tr><td>15</td><td>paclitaxel + cisplatin</td></tr>
<tr><td>16</td><td>paclitaxel + carboplatin</td><td>가. stage IA (Grade 2, 3)
나. stage IB (Grade 2, 3)
다. stage IC 이상
라. 재발성
마. Sex Cord-Stromal Tumors</td><td>1차 이상</td></tr>
<tr><td>17</td><td>topotecan</td><td rowspan="3">가. 재발성
나. 전이성</td><td rowspan="3">1차 이상
2차 이상</td></tr>
<tr><td>18</td><td>topotecan + carboplatin</td></tr>
<tr><td>19</td><td>topotecan + cisplatin</td></tr>
<tr><td>20</td><td>belotecan</td><td>가. 재발성</td><td>1차 이상</td></tr>
<tr><td>21</td><td>belotecan + cisplatin</td><td>나. stage Ⅲ, Ⅳ</td><td>2차 이상</td></tr>
<tr><td>22</td><td>topotecan + doxorubicin</td><td rowspan="4">stage Ⅲ, Ⅳ</td><td rowspan="4">2차 이상</td></tr>
<tr><td>23</td><td>topotecan + etoposide</td></tr>
<tr><td>24</td><td>topotecan + ifosfamide</td></tr>
<tr><td>25</td><td>docetaxel + etoposide</td></tr>
<tr><td>26</td><td>gemcitabine + carboplatin</td><td rowspan="2">다음의 조건을 모두 만족하는 경우
① platinum (cisplatin, carboplatin)을 포함한 선행항암요법에 부분관해 이상의 반응
② 상기 ① 항암요법 후 최소 6개월이 지나서 재발된 전이성</td><td rowspan="2">2차 이상</td></tr>
<tr><td>27</td><td>liposomal doxorubicin + carboplatin</td></tr>
</table>

연번	항암요법	투여대상	투여단계
28	liposomal doxorubicin	'paclitaxel' 또는 'platinum' 에 실패한 진행성	2차 이상
29	bevacizumab + paclitaxel + carboplatin	가. FIGO stage Ⅲb, Ⅲc 환자중 suboptimally debulked (잔존 종양크기>1 cm)이거나 stage Ⅳ 상피성 난소암, 난관암 또는 원발성 복막암 1) bevacizumab은 7.5 mg/kg로 투여하며, 화학요법 제2주기에서 제6주기까지 bevacizumab을 병용투여하고, 이후 단독투여하며 최대 18주기까지 급여 인정함(단, 질병진행 시 투여중단). 2) 허가사항 범위 내에서 상기에 해당 하지 않는 front-line 요법의 경우 'bevacizumab'은 약값 전액을 본인이 부담토록 함.	1차
		나. 다음의 조건을 모두 만족하는 경우 ① platinum (cisplatin, carboplatin)을 포함한 front-line 항암요법에 부분관해 이상의 반응 ② 상기 ① 항암요법 후 최소 6개월이 지나서 재발된 진행성 난소암, 난관암 또는 원발성 복막암의 첫 번째 재발 시 ③ 이전에 이 약을 포함하여 VEGF 저해제 또는 VEGF 수용체-표적 치료제를 투여한 적이 없음 ※ 수술후보조요법으로 백금기반의 항암치료를 받은 경우에는 1차 투여가 실시된 것으로 간주	2차

<table>
<tr><th>연번</th><th>항암요법</th><th>투여대상</th><th>투여단계</th></tr>
<tr><td>30</td><td>bevacizumab (100/100) + gemcitabine + carboplatin

※'bevacizumab'은 약값 전액을 본인이 부담토록 함</td><td>다음의 조건을 모두 만족하는 경우
① platinum (cisplatin, carboplatin)을 포함한 선행항암요법에 부분관해 이상의 반응
② 상기 ① 항암요법 후 최소 6개월이 지나서 재발된 진행성 난소암, 난관암 또는 원발성 복막암
③ 이전에 이 약을 포함하여 VEGF 저해제 또는 VEGF 수용체-표적 치료제를 투여한 적이 없음</td><td>2차</td></tr>
<tr><td>31</td><td>bevacizumab + paclitaxel</td><td rowspan="3">다음의 조건을 모두 만족하는 경우
① 'platinum'에 실패한 재발성 난소암, 난관암 또는 원발성 복막암
② 이전에 2가지 이하의 화학요법을 투여
③ 이전에 이 약을 포함하여 VEGF 저해제 또는 VEGF 수용체-표적 치료제를 투여한 적이 없음</td><td rowspan="3">2차
또는 3차</td></tr>
<tr><td>32</td><td>bevacizumab + topotecan</td></tr>
<tr><td>33</td><td>bevacizumab + liposomal doxorubicin</td></tr>
<tr><td>34</td><td>niraparib</td><td>BRCA 변이 재발성 고도 장액성 난소암, 난관암, 일차 복막암</td><td>4차 이상</td></tr>
</table>

4. 유지요법(maintenance)

연번	항암요법	투여대상	투여단계
1	olaparib (capsule)[주1,주3]	2차 이상의 백금기반요법에 반응(CR 또는 PR)한 백금민감성 재발성 BRCA 변이 고도 장액성 난소암, 난관암, 일차 복막암 ※ 백금계 항암제 완료 후 8주 이내 투여	-

연번	항암요법	투여대상	투여단계
2	niraparib[주1]	가. 1차 백금기반요법에 반응(CR 또는 PR)한 진행성 BRCA 변이 상피성 난소암, 난관암, 일차 복막암 ※ 백금계 항암제 완료 후 12주 이내 투여	-
		나. 2차 이상의 백금기반요법에 반응(CR 또는 PR)한 백금 민감성 재발성 BRCA 변이 고도 장액성 난소암, 난관암, 일차 복막암 ※ 백금계 항암제 완료 후 8주 이내 투여	
3	olaparib (tablet)[주2]	가. 1차 백금기반요법에 반응(CR 또는 PR)한 진행성 BRCA 변이 고도 상피성 난소암, 난관암, 일차 복막암 ※ 백금계 항암제 완료 후 8주 이내 투여 ※ 투여기간: 최초 투여 후 2년까지 급여인정	-
		나. 2차 이상의 백금기반요법에 반응(CR 또는 PR)한 백금민감성 재발성 BRCA 변이 고도 상피성 난소암, 난관암, 일차 복막암 ※ 백금계 항암제 완료 후 8주 이내 투여	

주1. 유지요법 시행 직전 투여된 백금기반요법은 bevacizumab 포함 요법을 제외하며, 이전에 PARP 억제제를 투여받은 적이 없어야 함

주2. 유지요법 시행 직전 투여된 백금기반요법(bevacizumab 포함 요법 제외)은 최소 4주기 이상 투여해야 하며, 이전에 PARP 억제제를 투여받은 적이 없어야 함

주3. 진료의사의 판단에 따라 'olaparib (tablet)'으로 전환하여 투여 가능함

자궁경부암(Cervical Cancer)

1. 고식적요법(palliative)

연번	항암요법	투여대상	투여단계
1	'ifosfamide + carboplatin' 또는 'ifosfamide + cisplatin'	재발성 또는 전이성 자궁경부암	1차 이상
2	cisplatin		
3	cisplatin + fluorouracil		
4	carboplatin		
5	carboplatin + fluorouracil		
6	paclitaxel + cisplatin	가. 재발성, 전이성(stage Ⅳ) 나. stage IB2 이상인 자궁경부암 중 다음의 조건 중 한 가지 이상 해당되는 경우 ① 수술 후 골반 림프절(pelvic LN) 양성 ② 수술 후 대동맥 주위 림프절(para-aortic LN) 양성 ③ 수술 후 parametrium 양성 ※ 연번 5의 단독요법의 경우 'platinum' 약제를 사용하기 곤란한 경우에 사용 시 요양급여를 인정함	1차 이상
7	paclitaxel + carboplatin		
8	paclitaxel + ifosfamide		
9	paclitaxel		
10	topotecan + cisplatin	재발성, 전이성(stage Ⅳ)	1차 이상
11	bevacizumab + paclitaxel + cisplatin	지속성(persistent)*, 재발성 또는 전이성(stage ⅣB) * '지속성(persistent)'은 방사선 치료 후 3개월에 질환이 완전 관해(completely regression)되지 않는 경우를 의미함	1차

자궁암(Uterine Cancer)

투여대상은 조직학적으로 선암(adenocarcinoma), 암육종(carcinosarcoma)인 자궁내막암(endometrial cancer)임
※ 자궁육종(uterine sarcoma)의 경우 연조직육종의 치료에 준함 (leiomyosarcoma, stromal sarcoma)

1. 수술후보조요법(adjuvant)

연번	항암요법	투여대상
1	paclitaxel + carboplatin	가. 수술 후 조직학적으로 확인된 stage Ⅲ, Ⅳ 진행성 자궁내막암 (투여기간: 최대 9주기) 나. stage Ⅰ, Ⅱ 유두상 장액성(papillary serous) 또는 투명세포(clear cell) 자궁내막암(투여기간: 6주기)

2. 고식적요법(palliative)

가. 투여단계: 1차 이상

연번	항암요법	투여대상
1	doxorubicin (개정 제2022-00호: 2022.8.1.)	자궁내막암
2	doxorubicin + cisplatin (개정 제2022-00호: 2022.8.1.)	
3	doxorubicin + carboplatin (개정 제2022-00호: 2022.8.1.)	
4	doxorubicin + carboplatin + cyclophosphamide (개정 제2022-00호: 2022.8.1.)	
5	doxorubicin + cisplatin + cyclo-phosphamide (개정 제2022-00호: 2022.8.1.)	
6	cisplatin (개정 제2022-00호: 2022.8.1.)	

연번	항암요법	투여대상
7	fluorouracil + cisplatin (개정 제2022-00호: 2022.8.1.)	자궁내막암
8	carboplatin (개정 제2022-00호: 2022.8.1.)	
9	tamoxifen (개정 제2022-00호: 2022.8.1.)	
10	progesterone (개정 제2022-00호: 2022.8.1.)	
11	ifosfamide + cisplatin (개정 제2022-00호: 2022.8.1.)	
12	paclitaxel + carboplatin (제2017-75호: 2017.4.1, 개정 제2022-00호: 2022.8.1.)	전이성 또는 재발성 자궁내막암

연조직육종(Soft Tissue Sarcoma)

▶ Histopathologic Type

Tumors included in the soft tissues category are listed below:

Alveolar soft-part sarcoma Desmoplastic small round cell tumor
Epithelioid sarcoma Gastrointestinal stromal tumor
Neuroectodermal tumor Fibrosarcoma
Leiomyosarcoma Liposarcoma
Malignant fibrous histiocytoma Malignant hemangiopericytoma
Malignant peripheral nerve sheath tumor
Synovial sarcoma Sarcoma, NOS
Angiosarcoma (개정 제2018-21호: 2018.2.1.)
Endometrial stromal sarcoma (개정 제2022-190호: 2022.8.1.)

* Alveolar soft part sarcoma and clear cell sarcomas are generally not sensitive to chemotherapy.

Clear cell sarcoma Chondrosarcoma, extraskeletal
Osteosarcoma, extraskeletal
Ewing's sarcoma/primitive neuroectodermal tumors (PNET)

[1군 항암제 단독 또는 병용요법]

- 'methotrexate' 사용 시 'leucovorin'은 사용이 가능함

연번	항암요법
1	doxorubicin + dacarbazine + ifosfamide
2	doxorubicin
3	ifosfamide
4	doxorubicin + ifosfamide
5	etoposide + ifosfamide (IE)
6	vincristine + dactinomycin + cyclophosphamide + doxorubicin
7	doxorubicin + cisplatin
8	cyclophosphamide + vincristine + doxorubicin + dacarbazine (CYVADIC)
9	doxorubicin + dacarbazine
10	vincristine + cyclophosphamide + doxorubicin
11	(high-dose) ifosfamide
12	vincristine + dactinomycin + cyclophosphamide
13	vincristine + dactinomycin + ifosfamide
14	vincristine + ifosfamide + etoposide (VIE)
15	SWOG protocol (A-B alternating) - A : doxorubicin + cisplatin - B : doxorubicin + ifosfamide
16	ifosfamide + carboplatin + etoposide
17	VAIA - 1주: ifosfamide + doxorubicin + vincristine - 4주: ifosfamide + dactinomycin + vincristine - 7주: ifosfamide + doxorubicin
18	- (high-dose) methotrexate - doxorubicin + cisplatin
19	- (high-dose) methotrexate - bleomycin + cyclophosphamide + dactinomycin (BCD)
20	ifosfamide + etoposide (high-dose, high-dose IE)
21	(high-dose) ifosfamide + epirubicin

연번	항암요법
22	etoposide + ifosfamide + cisplatin
23	vincristine + doxorubicin + cyclophosphamide + ifosfamide + etoposide (VAC/IE)

[2군 항암제를 포함한 요법]

연번	항암요법	투여대상	투여단계	투여요법
1	imatinib (제2010-5호: 2010.3.1, 개정 제2013-151호: 2013.11.1, 개정 제2015-314호: 2016.1.1, 개정 제2016-242호: 2016.9.1)	가. Kit (CD 117) 양성인 절제불가능, 전이성 악성 위장관기질종양	1차 이상	P
		나. Kit (CD 117) 양성인 위장관기질종양 환자로 다음의 조건을 모두 만족하는 경우[주1](투여 인정 기간: 최초 투여 후 최대 3년) ① 근치적 절제술 후 종양의 증거가 없고, ② high risk 이상의 위험도 환자	-	A
2	sunitinib (제2007-2호: 2007.3.1)	저항성 및 불내약성으로 인해 imatinib 요법에 실패한 위장관기질종양 저항성 및 불내약성으로 인해 imatinib 요법에 실패한 위장관기질종양	2차 이상	P, S
3	pazopanib (제2013-97호: 2013.7.1, 개정 제2020-282호: 2020.11.1.)	국소치료가 불가능한 진행성 또는 전이성 연조직육종 (다만 GIST, liposarcoma, chondrosarcoma, osteosarcoma, Ewing's sarcoma, primitive neuroectodermal tumors는 제외)	2차 이상	P
4	gemcitabine + docetaxel (제2016-22호: 2016.2.1, 개정 제2020-282호: 2020.11.1.)	재발성 또는 전이성 연조직육종 (다만 GIST, clear cell sarcoma, chondrosarcoma는 제외)	2차 이상	P
5	regorafenib (제2016-160호: 2016.6.1)	이전에 저항성 및 불내약성으로 인해 imatinib과 sunitinib에 모두 실패한 위장관기질종양(GIST)	3차 이상	P
6	eribulin (제2017-147호: 2017.7.1)	절제불가능 또는 전이성 지방육종 (단, 이전에 anthracyclin계 항암제 사용 경험이 있어야 하며, 이러한 치료가 부적절한 환자는 예외로 함)	3차 이상	P
7	paclitaxel (weekly) (제2018-21호: 2018.2.1)	전이성 혈관육종(scalp 포함 모든 부위)	1차 이상	P

※ 투여요법: A (수술후보조요법, adjuvant), P (고식적요법, palliative), S (구제요법, salvage)

주1. 연번 1-나 관련

1) '수술후보조요법'으로 투여하는 경우 재발여부나 부작용 발생여부 등 3~6개월마다 평가하면서 투여하도록 함
2) Proposed modification of consensus classification for selection patients with GIST for adjuvant therapy (Hum Pathol. 2008;39(10):1411-9)

	Size	Mitotic count	Primary tumor site
High risk	2.1–5.0 cm	> 5/50 HPF	Nongastric
	5.1–10.0 cm	≤ 5/50 HPF	Nongastric
	> 5 cm	> 5/50 HPF	Any
	> 10 cm	Any mitotic rate	Any
	Any size	> 10/50 HPF	Any

3) high risk 이상의 위험도 환자에는 '수술 전 또는 수술 중 tumor rupture 발생 환자'도 포함됨(제2010-5호: 2010.3.1, 개정 제2013-151호: 2013.11.1, 제2015-314호: 2016.1.1.)

생식세포종양(Germ Cell Tumor)

- 고환암은 생식세포종양과 조직학적 분류가 같으므로 아래의 항암요법을 준용하여 실시 시 요양급여를 인정함 (제2007-7호: 2007.11.20)

[1군 항암제 단독 또는 병용요법]

연번	항암요법
1	bleomycin + carboplatin + cisplatin + etoposide + ifosfamide
2	bleomycin + carboplatin + cyclophosphamide + etoposide
3	bleomycin + carboplatin + etoposide
4	bleomycin + cisplatin + cyclophosphamide + dactinomycin + vinblastine
5	bleomycin + cisplatin + cyclophosphamide + etoposide
6	bleomycin + cisplatin + etoposide
7	bleomycin + cisplatin + vinblastine
8	bleomycin + cisplatin + vincristine
9	bleomycin + cyclophosphamide + etoposide
10	bleomycin + vinblastine
11	carboplatin + cyclophosphamide + etoposide
12	carboplatin + etoposide

13	carboplatin + etoposide + ifosfamide
14	cisplatin + cyclophosphamide + etoposide + vincristine
15	cisplatin + etoposide
16	cispaltin + etoposide + vinblastine
17	dactinomycin + doxorubicin + vinblastine
18	dactinomycin + vinblastine
19	doxorubicin + etoposide + vinblastine
20	doxorubicin + vinblastine
21	vinblastine + ifosfamide + cisplatin (VelP)
22	etoposide + ifosfamide + cisplatin (VIP)
23	dactinomycin + etoposide + methotrexate + cisplatin (EMA-CE)
24	dactinomycin + etoposide + methotrexate + vincristine + cyclophosphamide (EMA-CO)
25	bleomycin

기타 암

연번	대상질환	항암요법
3	복막암 (제2007-3호: 2007.4.1)	cisplatin (복막암에는 intraperitoneal cisplatin instillation 요법)
4	융모상피암 (제2007-3호: 2007.4.1)	etoposide (IV, PO)
7	H-Mole에서 chorionic Cancer로의 진행이 우려되는 경우	doxorubicin + methotrexate + cyclophosphamide
8	복막에서 발견된 암종 (peritoneal carcinoma)[주2] (제2006-6호: 2006.8.1, 개정 제 2007-7호: 2007.11.20)	paclitaxel + cisplatin (Intra-peritoneal) • 투여대상 : stage Ⅲ인 환자에서 다음의 조건을 모두 만족하는 경우 ① 수술 후 잔류종양이 1㎝ 이하 ② GOG수행능력 평가 2 이하 • 투여단계: — • 투여요법: A

연번	대상질환	항암요법
12	고위험 또는 재발성 또는 불응성 임신성융모종양(gestational trophoblastic tumor), 태반유래융모종양(placental site trophoblastic tumor) (제2007-6호: 2007.9.1)	1) etoposide + methotrexate + dactinomycin + cyclophosphamide + vincristine (EMA-CO) 2) etoposide + methotrexate + dactinomycin + cisplatin (EMA-EP)

※ 투여요법 : A (수술후보조요법, adjuvant), P (고식적요법, palliative), S (구제요법, salvage)

주1. 위에서 언급되지 않은 대상질환별 항암요법은 '식약처 허가사항 범위 내에서 환자의 증상 등에 따라 필요·적절하게 투여' 시 요양급여를 인정함

2. 연번 8관련 (제2007-7호: 2007.11.20, 개정 제2010-5호: 2010.3.1, 개정 제2014-127호: 2014.7.1)

가. 복막에서 발견된 암종에서 'paclitaxel'은 식약처 허가초과인 약제로서 식약처에서 지정하는 임상시험 실시기관으로서 다학제적위원회에서 동 요법이 반드시 필요하다고 협의한 경우에 한하여 요양급여를 인정함

나. 복막에서 발견된 암종(peritoneal carcinoma)은 난소암을 원발 부위로 추정할 수 있는 조건을 갖춘 경우로서 다음의 3가지 조건을 모두 충족한 경우임

① 여성 환자

② 검사를 통하여 다른 장기(위/대장 등)가 원발 부위가 아님이 입증됨

③ Epithelial ovarian ca.에 부합되는 histologic type (serous, mucinous, endometrioid, clear cell 등)을 보임

허가초과 항암요법

□ 검토 중인 허가초과 항암요법

☞ 아래 요법은 신청자료의 보완 등의 사유로 심의 날짜가 지연될 수 있으며, 아래 요법 외 허가초과 항암 요법은 지속적으로 접수되고 있음.

2022년 7월 7일 현재

연번	암종	항암요법
6	난소암	재발성 BRCA변이 난소암에 'olaparib(tablet)' 단독요법(4차 이상, 고식적요법)
7	자궁내막암	MSI-H/MMR-d 재발성/진행성 자궁내막암에 'nivolumab' 단독요법(2차 이상, 고식적요법)
8	신경내분비암	Locally advanced or metastatic pancreatic and extrapancreatic neuroendocrine tumors에 'atezolizumab + bevacizumab' 병용요법 (1차이상, 고식적요법)

□ 암질환심의위원회에서 신청기관에 국한하여 인정된 요법

아래의 요법은 식품의약품안전처의 허가사항을 벗어난 요법으로 치료방법의 선택에 있어 신중하여야 할 것임.

2022년 7월 7일 현재

요법코드	암종	세부암종	항암화학요법	투여대상	투여단계	투여요법	급여상세사항	참고사항 (용법용량)	기타사항
1007	자궁암	자궁내막암	paclitaxel	진행성, 재발성 자궁내막암중 A 또는 B를 만족하는 경우 - A 신질환 또는 심질환을 앓고 있는 환자, B doxorubicin이나 cisplatin의 독성에 견디지 못하는 환자	1차 이상	고식적요법 (palliative)	약값 일부 본인부담(5/100)	paclitaxel 175 mg/㎡ 또는 210 mg/m^2, every 3 weeks	

요법코드	암종	세부암종	항암화학요법	투여대상	투여단계	투여요법	급여상세사항	참고사항 (용법용량)	기타사항
1069	자궁암	uterine serous carcinoma	paclitaxel + carboplatin + trastuzumab	HER2/neu 양성이면서 stage Ⅲ, Ⅳ 또는 재발성 uterine serous carcinoma (IHC3+ 또는 IHC2+, 단, IHC2+인 경우 FISH로 확인)	1차 이상	고식적요법 (palliative)	paclitaxel, carboplatin 본인일부부담(5/100), tastuzumab 약값 전액본인부담(100/100)	paclitaxel 175 mg/m^2 + carboplatin AUC 5 + trastuzumab 8 mg/kg(loading dose), 6 mg/kg(subsequent dose) q 3weeks	
2052	자궁암	자궁암	paclitaxel + ifosfamide	stage Ⅲ, Ⅳ 진행성, 재발성 자궁암육종(carcinosarcoma 혹은 MMMTs, Mixed Mullerian Tumors)	1차 이상	고식적요법 (palliative)	약값 전액 본인부담(100/100)	paclitaxel : 135–175 mg/㎡ D1 + ifosfamide 1.6 g/㎡ D1–3 every 3 weeks	
2075	자궁암	자궁내막암	letrozole	폐경 후 estrogen 수용체 양성인 진행성, 재발성 low-grade endometrial stromal sarcoma (자궁내막간질성 육종)	1차 이상	고식적요법 (palliative)	약값 전액 본인부담(100/100)	letrozole 2.5 mg PO QD	
2139	자궁암	자궁내막암	anastrozole	이전에 호르몬 치료에 실패한, 폐경 후 estrogen 수용체 양성인 전이성, 재발성 자궁내막암(stageⅣ)	2차 이상	고식적요법 (palliative)	약값 전액 본인부담(100/100)	anastrozole 1 mg qd daily (until PD)	
2189	자궁암	자궁내막암	bevacizumab	재발성, 지속성 자궁내막암	2차 또는 3차	고식적요법 (palliative)	약값 전액 본인부담(100/100)	bevacizumab 15 mg/kg IV D 1, 매 3주마다	
2257	자궁암	자궁암육종	paclitaxel + ifosfamide	자궁암육종(Uterine carcinosarcoma)	–	수술후보조요법 (adjuvant)	약값 전액 본인부담(100/100)	paclitaxel 135 mg/m^2, D1 + Ifosfamide 1.6 g/m^2 D1–3, q3 weeks for 8cycles	
2359	자궁암	자궁암육종	paclitaxel + carboplatin	자궁암육종(uterine carcinosarcoma)	–	수술후보조요법 (adjuvant)	약값 전액 본인부담(100/100)	paclitaxel 175 mg/m^2 IV, carboplatin area under the curve–5(AUC–5) IV, every 3weeks	
2360	자궁암	자궁암육종	paclitaxel + carboplatin	진행성 또는 재발성 자궁암육종(uterine carcinosarcoma)	1차 이상	고식적요법 (palliative)	약값 전액 본인부담(100/100)	paclitaxel 175 mg/m^2 IV, carboplatin area under the curve–5(AUC–5) IV, every 3weeks	
2366	자궁암	자궁내막암	docetaxel	진행성 또는 재발성 자궁내막암	3차 이상	고식적요법 (palliative)	약값 전액 본인부담(100/100)	docetaxel 70 mg/m^2 IV, 3주 간격	
6016	자궁암	자궁내막암	everolimus + letrozole	폐경 후 ER 또는 PR 양성인 진행성 또는 재발성 자궁내막암 중 Endometrioid histology	2차 이상	고식적요법 (palliative)	약값 전액 본인부담(100/100)	everolimus 10 mg qd daily, letrozole 2.5 mg qd daily	

요법코드	암종	세부암종	항암화학요법	투여대상	투여단계	투여요법	급여상세사항	참고사항 (용법용량)	기타사항
1006	자궁경부암	-	paclitaxel + ifos-famide + platinum	재발성 자궁경부암	1차 이상	고식적요법 (palliative)	약값 일부 본인 부담(5/100)	1) - paclitaxel 135 mg/㎡ MIV over 3hr on D1 - cisplatin 50 mg/㎡ MIV over 1 hr on D1 - ifosfamide 1.5 g/㎡ MIV over 3hr on D1,2,3 또는 - paclitaxel 135 mg/㎡ MIV over 3hr on D1 - carbopaltin 5*(GFR +25) mg MIV over 1 hr on D1 - ifosfamide 1.5 g/㎡ MIV over 3hr on D1,2,3 [every 3 weeks] 2) - paclitaxel 175 mg/㎡ on D1 - cisplatin 70 mg/㎡ on D2 - ifosfamide 1.5 g/㎡ on D1 또는 - paclitaxel 175 mg/㎡ on D1 - carbopaltin 5*(GFR +25) mg on D1 - ifosfamide 2 g/㎡ on D1 [every 28days]	
1077	자궁경부암	-	paclitaxel + carboplatin + bevacizumab	수술적 치료 또는 방사선 치료가 부적합한 advanced or recurrent 자궁경부암	1차	고식적요법 (palliative)	paclitaxel + carboplatin 약값 일부 본인 부담(5/100), bevacizuamb 약값 전액 본인 부담(100/100)	paclitaxel 175 mg/m^2 IV, carboplatin AUC 5-6 mg/mL/min IV, bevacizumab 15 mg/kg IV, q 3주 간격	
2103	자궁경부암	자궁경부암	paclitaxel + ifos-famide + platinum	전이성 자궁경부암	1차 이상	고식적요법 (palliative)	약값 전액 본인 부담(100/100)	1)- paclitaxel 135 mg/㎡ MIV over 3hr on D1 - cisplatin 50 mg/㎡ MIV over 1 hr on D1 - ifosfamide 1.5 g/㎡ MIV over 3hr on D1, 2, 3 every 3 weeks 또는 - paclitaxel 135 mg/㎡ MIV over 3hr on D1 - carbopaltin 5*(GFR +25) mg MIV over 1 hr on D1 - ifosfamide 1.5 g/㎡ MIV over 3hr on D1, 2, 3 every 3 weeks	
2264	자궁경부암	-	pemetrexed	cisplatin에 실패한 진행성, 재발성 자궁경부암	2차 이상	고식적요법 (palliative)	약값 전액 본인 부담(100/100)	pemetrexed 500 mg/m^2 IV on day1 every 21 day	

요법코드	암종	세부암종	항암화학요법	투여대상	투여단계	투여요법	급여상세사항	참고사항 (용법용량)	기타사항
4015	자궁경부암	-	pembrolizumab	진행성 자궁경부 편평상피세포암(advanced cervical squamous cell cancer)	2차 이상	고식적요법(palliative)	약값 전액 본인부담(100/100)	pembrolizumab 200 mg IV q 3weeks	
4036	자궁경부암	-	nivolumab	재발성 또는 전이성 자궁경부암(squamous cell carcinoma에 한함)	2차 이상	고식적요법(palliative)	약값 전액 본인부담(100/100)	nivolumab 240 mg IV, every 2 weeks	
8001	자궁경부암	-	pembrolizumab	PD-L1 양성 또는 CPS ≥1인 진행성 자궁경부암(advanced cervical cancer)	2차 이상	고식적요법(palliative)	약값 전액 본인부담(100/100)	pembrolizumab 200 mg IV q 3weeks	
2396	자궁경부암	자궁경부암	gemcitabine	진행성 또는 재발성 자궁경부암	3차 이상	고식적요법(palliative)	약값 전액 본인부담(100/100)	gemcitabine 800 mg/m^2 1주 간격으로 3회 투여, 1주 휴약	
1015	생식세포종양	-	paclitaxel + ifosfamide + cisplatin	수술 불가능, 재발성, 전이성 생식세포종양	2차 이상	고식적요법(palliative), 구제요법(salvage)	약값 일부 본인부담(5/100)	○ 용량 1 - paclitaxel: 175 mg/m^2 D1 - ifosfamide: 1.2 g/m^2 D1~5 - cisplatin: 20 mg/m^2 D1~5 every 3weeks ○ 용량 2 - paclitaxel: 250 mg/m^2 D1 - ifosfamide: 1.5 g/m^2 D2~5 - cisplatin: 20~25 mg/m^2 D2~5 every 3weeks	
2064	생식세포종양	-	gemcitabine + oxaliplatin	재발성 또는 불응성인 전이성 생식세포종양(이전에 cisplatin-based chemotherapy 실패한 경우 포함)	2차 이상	고식적요법(palliative), 구제요법(salvage)	약값 전액 본인부담(100/100)	gemcitabine 1000 mg/m^2 D1,8 + oxaliplatin 130 mg/m^2 D1 q 3weeks	
2164	생식세포종양	-	gemcitabine + paclitaxel	cisplatin을 포함한 이전 치료에 실패한 전이성 생식세포종양(이전에 gemcitabine 또는 paclitaxel에 실패한 경우 제외)	3차 이상	고식적 요법(palliative), 구제요법(salvage)	약값 전액 본인부담(100/100)	gemcitabine 1000 mg/m^2, D1, 8, 15 + paclitaxel 100 mg/m^2 D1, 8, 15 every 28 days	
1004	난소암	-	irinotecan + mitomycin C	재발성(1차이상) / 지속성, 진행성(2차이상) 난소의 투명세포암	1차 이상 / 2차 이상	고식적요법(palliative), 구제요법(salvage)	약값 일부 본인부담(5/100)	irinotecan 120~140 mg/m^2 (IV) D1 - mitomycin 7 mg/m^2 (IV) D1	

요법코드	암종	세부암종	항암화학요법	투여대상	투여단계	투여요법	급여상세사항	참고사항 (용법용량)	기타사항
1005	난소암	-	belotecan + carboplatin	진행성, 재발성 난소암 - 동 요법의 경우는 다음의 조건 중 1가지 이상을 만족해야 함 1)만60세 이상의 고령, 2) 전신상태가 불량할 경우(ECOGPS 2 이상), 3)신장기능이 나쁜 경우(혈청 creatinie 수치가 정상 상한치의 1.5배 이상인 경우)	2차 이상	고식적요법 (palliative), 구제요법 (salvage)	약값 일부 본인부담(5/100)	belotecan : 0.5 mg/m^2 D1–4 carboplatin : AUC 5 D1 or belotecan : 0.3 mg/m^2 D1–5 carboplatin : AUC 5 D5 or belotecan : 0.4 mg/m^2 D1–5 carboplatin : AUC 5 D1 1) 1st treatment 후 treatment free interval 12months 이내의 군 belotecan : 1.00 mg/m^2 on days 1 to 3, 6cycles carboplatin : equating an area under curve(AUC) of 5 on day 3 after infusion of Belotecan repeated every 21 days 2) 1st treatment 후 treatment free interval 12months 이후의 군 belotecan : 0.75 mg/m^2 on days 1 to 3, 6cycles carboplatin : equating an area under curve(AUC) of 5 on day 3 after infusion of Belotecan repeated every 21 days 3)belotecan : 0.3 mg/m^2 D1–5 carboplatin : AUC 5 D1 or belotecan : 0.3 mg/m^2 D1–5 carboplatin : AUC 5 D1	

요법코드	암종	세부암종	항암화학요법	투여대상	투여단계	투여요법	급여상세사항	참고사항 (용법용량)	기타사항
1052	난소암	-	paclitaxel (80 mg/m^2) weekly + carboplatin	20세 이상인 stage II~IV epithelial ovarian cancer - 다만, 나팔관암과 원발부위 미상 복막암에 동요법을 신청하여 인정된 기관에 한하여 다음의 조건 모두 충족 시 사용 가능 1)여성환자, 2)검사를 통하여 다른 장기(위/대장 등)가 원발 부위가 아님이 입증, 3)CA-125 정상범위 이상 상승, 4)Epithelial ovarian ca.에 부합되는 histologic type (serous, mucinous, endometrioid, clear cell 등)을 보임	1차 / -	고식적요법 (palliative) / 수술후 보조요법 (adjuvant)	carboplatin 약값 일부 본인부담(5/100), paclitaxel 60 mg/m^2/week 까지는 약값 일부 본인부담 (5/100). 단, 허가용량 초과부분인 paclitaxel 20 mg/m^2/week은 약값 전액 본인부담 (100/100)	paclitaxel:80 mg/m^2, D1, 8, 15 (weekly) - carboplatin:AUC 6 mg/mL/min, D1 - every 3 weeks	
2017	난소암	-	gemcitabine	platinum을 포함한 요법의 치료 중 진행하거나 6개월 이전에 재발한 platinum-resistant 상피성 난소암환자-다만, 난관암 및 복막암에 다음의 조건 모두 충족 시 사용 가능 1)여성환자, 2)검사를 통하여 다른 장기(위/대장 등)가 원발 부위가 아님이 입증, 3)Epithelial ovarian ca.에 부합되는 histologic type (serous, mucinous, endometrioid, clear cell 등)을 보임	2차 이상	고식적요법 (palliative), 구제요법 (salvage)	약값 전액 본인부담(100/100)	gemcitabine: 1,000 mg/m^2 D1, 8, 15 every 4 weeks or - gemcitabine: 1,000 mg/m^2 D1, 8, 15 every 3 weeks or - gemcitabine: 1,000 mg/m^2 D1, 8 every 3 weeks	
2080	난소암	-	leuprolide	이전의 항암화학요법에 저항성을 보이는 재발성 불응성 ovarian granulosa cell tumor	2차 이상	고식적요법 (palliative), 구제요법 (salvage)	약값 전액 본인부담(100/100)	leuprolide 7.5 mg monthly	
2114	난소암	-	paclitaxel	BEP 요법에 실패하였거나, BEP요법 시행 이후 재발한 Granulosa cell tumor 환자	2차 이상	고식적요법 (palliative)	약값 전액 본인부담(100/100)	paclitaxel 175 mg/m^2 IV every 21days.	
2115	난소암	-	paclitaxel + platinum (carboplatin or cisplatin)	BEP 요법에 실패하였거나, BEP요법 시행 이후 재발한 Sex-cord stromal tumor	2차 이상	고식적요법 (palliative)	약값 전액 본인부담(100/100)	paclitaxel 175 mg/m^2 + carboplatin AUC5 or cisplatin 75 mg/m^2 IV every 21days.	투여대상 Sex-cord stromal tumor로 확대: 2017.9.15일자

요법코드	암종	세부암종	항암화학요법	투여대상	투여단계	투여요법	급여상세사항	참고사항 (용법용량)	기타사항
2146	난소암	-	paclitaxel 복강내 온열 항암화학요법	2차 추시개복술(종양감축술 등) 후 육안적 잔류종양이 1 cm 이하 또는 존재하지 않는 stage Ic-IIIc 상피성 난소암	-	-	약값 전액 본인부담(100/100)	Saline 2,000 cc, paclitaxel 175 mg/m^2 mix fluid total 6,000 cc IP투여, 복강 내 fluid 42℃~44℃ 유지하여 약 90분간 관류함.	보건복지부 고시 제2021-113호(2021.5.1. 시행)에 따라 아래의 문구 삭제함. (국민건강보험 요양급여의 기준에 관한 규칙 「제10조 제1항 제1호」와 「별표 2 제4호 하목」에 의거하여 가입자등에게 최초로 실시한 날로부터 30일 이내에 신의료기술 등의 요양급여 대상 여부의 결정을 보건복지부장관에게 신청한 경우에 한함.)
2155	난소암	-	bevacizumab	이전에 bevacizumab 투여 경험이 없고 gastrointestinal perforation 위험이 낮은 platinum-resistant 재발성 및 전이성 난소암 -다만, 원발부위 미상 복막암에 동요법을 신청하여 인정된 기관에 한하여 다음의 조건 모두 충족 시 사용 가능 1)여성환자, 2)검사를 통하여 다른 장기(위/대장 등)가 원발 부위가 아님이 입증, 3)CA-125 정상범위 이상 상승, 4)Epithelial ovarian ca.에 부합되는 histologic type (serous, mucinous, endometrioid, clear cell 등)을 보임	2차 이상	고식적요법 (palliative)	약값 전액 본인부담(100/100)	bevacizumab 15 mg/kg IV D 1, 매 3주마다	
2236	난소암	-	pazopanib + paclitaxel (3주, weekly)	platinum-resistant/refractory 재발성 및 전이성 난소암	2차 이상	고식적요법 (palliative)	약값 전액 본인부담(100/100)	pazopanib 800 mg po daily paclitaxel 80 mg/m^2 IV weekly D1,8,15 , q 4 weeks	

요법코드	암종	세부암종	항암화학요법	투여대상	투여단계	투여요법	급여상세사항	참고사항 (용법용량)	기타사항
2240	난소암	-	FOLFOX (oxali-platin + 5-FU + leucovorin)	Taxane 또는 Platinum에 실패한 진행성, 재발성 mucinous ovarian cancer	2차 이상	고식적요법 (palliative)	약값 전액 본인부담(100/100)	oxaliplatin 85 mg/m^2 for 2hr (D1) leucovorin 200 mg/m^2 for 2hr (D1) 5-FU 400 mg/m^2 bolus (D1) 5-FU 600 mg/m^2 for 22hr (D1, D2) every 3 weeks	
2248	난소암	-	olaparib	재발성 BRCA 변이 난소암(난관암, 또는 원발성 복막암)	4차 이상	고식적요법 (palliative)	약값 전액 본인부담(100/100)	olaparib 400 mg PO, 1일 2회	
2258	난소암	-	cisplatin 복강내 온열 항암화학요법	병기 3기의 상피성 난소암, 난관암, 복막암 환자로 Neoadjuvant 치료 후 일차 종양감축술로 적절한 종양감축(residual tumor<1 cm)이 된 경우 - Neoadjuvant : paclitaxel + carbo-platin 3 cycle, 수술 후 paclitaxel + carboplatin 투여	-	-	약값 전액 본인부담(100/100)	* Cisplatin 100 mg/m^{2}를 saline에 주입하여, 1 L/min의 속도로 관류 - 종양감축수술 후 개방형 방법 (open technique) 로 시행 - 복강내 heated saline을 순환시켜 복강내 온도를 40℃로 유지 - 처음 시작 시 총량의 50%, 30분후 25%, 60분후 나머지 25%를 나누어 첨가 - HIPEC 전체 소요시간은 120분, 관류시간은 90분으로 시행	보건복지부 고시 제2021-113호(2021.5.1. 시행)에 따라 아래의 문구 삭제함. (국민건강보험 요양급여의 기준에 관한 규칙 「제10조 제1항 제1호」와 「별표 2 제4호 하목」에 의거하여 가입자등에게 최초로 실시한 날로부터 30일 이내에 신의료기술 등의 요양급여 대상 여부의 결정을 보건복지부장관에게 신청한 경우에 한함.)
2322	난소암	상피성 난소암	letrozole	백금 저항성, 에스트로겐 수용체 양성, 전이성 상피성 난소암	2차 이상	고식적요법 (palliative)	약값 전액 본인부담(100/100)	letrozole 2.5 mg PO QD	
2329	난소암	-	letrozole	재발성 ovarian granulosa cell tumor	2차 이상	고식적요법 (palliative)	약값 전액 본인부담(100/100)	letrozole 2.5 mg PO QD	

요법코드	암종	세부암종	항암화학요법	투여대상	투여단계	투여요법	급여상세사항	참고사항 (용법용량)	기타사항
2349	난소암	-	bevacizumab + liposomal doxorubicin + carboplatin	백금민감성 재발성 상피성 난소암(난관암, 일차복막암 포함)	2차	고식적요법 (palliative)	약값 전액 본인부담(100/100)	bevacizumab (10 mg/kg, D1 and D15) + liposomal doxorubicin (30 mg/m², D1) + carboplatin (AUC 5, D1) q 4wks, total 6 cycles followed by bevacizumab 15 mg/kg q 3wks	
2371	난소암	-	bevacizumab	재발성 sex cord-stromal ovarian tumor	2차 이상	고식적요법 (palliative)	약값 전액 본인부담(100/100)	bevacizumab 15 mg/kg D1 q3wks	
2377	난소암	-	tamoxifen	에스트로겐 수용체 양성인 재발성 low grade serous ovarian cancer	2차 이상	고식적요법 (palliative)	약값 전액 본인부담(100/100)	tamoxifen 20 mg bid	
2391	난소암	-	trametinib	재발성 low grade serous ovarian carcinoma	2차 이상	고식적요법 (palliative)	약값 전액 본인부담 (100/100)	trametinib 2 mg once daily	
4020	난소암	-	pembrolizumab	PD-L1 positive 진행성 난소암, 복막암, 나팔관암 (복막암, 나팔관암 - 난소암 기준으로 투여할 수 있는(공고 참조) 복막암, 나팔관암에 한하여 자문하 인정)	3차 이상	고식적요법 (palliative)	약값 전액 본인부담(100/100)	pembrolizumab 200 mg IV q 3weeks	
4028	난소암	-	nivolumab	백금 저항성 진행성(또는 재발성) 난소암, 복막암, 나팔관암 (복막암, 나팔관암 - 난소암 기준으로 투여할 수 있는(공고 참조) 복막암, 나팔관암에 한하여 자문하 인정)	3차 이상	고식적요법 (palliative)	약값 전액 본인부담(100/100)	nivolumab 3 mg/kg IV q 2 weeks, 최대 48주까지	
2032	기타암	질암	paclitaxel + carboplatin	stage III~IV clear cell carcinomas of the vagina (질암)	1차 이상	고식적요법 (palliative)	약값 전액 본인부담(100/100)	paclitaxel 175 mg/m^2, IV, D1 + carboplatin AUC 5, IV, D1 every 3 weeks	
2051	기타암	질암	paclitaxel + cisplatin	전이성, 재발성 질암(viginal carcinoma)	1차	고식적요법 (palliative)	약값 전액 본인부담(100/100)	paclitaxel : 175 mg/m^2, D1 + cisplatin 75 mg/m², D1 every 3 weeks	
2210	기타암	질암	paclitaxel + carboplatin	재발성, 지속성 질암	1차이상	고식적요법 (palliative)	약값 전액 본인부담(100/100)	paclitaxel 175 mg/m^2 D1 + carboplatin AUC 5 or 6 D1 every 4 weeks 총 6-9cycle (paclitaxel 155 mg/m^2 if prior pelvic irradiation)	
4035	기타암	질암/외음부암	nivolumab	재발성 또는 전이성 질암과 외음부암 (squamous cell carcinoma에 한함)	2차 이상	고식적요법 (palliative)	약값 전액 본인부담(100/100)	nivolumab 240 mg IV, every 2 weeks	

요법코드	암종	세부암종	항암화학요법	투여대상	투여단계	투여요법	급여상세사항	참고사항 (용법용량)	기타사항
2252	기타암	vulvar cancer	paclitaxel	재발성, 전이성, 또는 방사선요법이나 수술적 치료가 불가능한 국소진행성 vulvar cancer (1차 치료로 방사선요법이나 수술적 치료가 가능한 경우는 제외)	1차 이상	고식적요법 (palliative)	약값 전액 본인부담(100/100)	paclitaxel 175 mg/m^2 q 3weeks	
2058	기타암	원발부위 미상암	paclitaxel + carboplatin	가능한 모든 검사를 하였음에도 원발부위를 알 수 없는 adeno- or undifferentiated carcinoma of unknown primary	1차	고식적요법 (palliative)	약값 전액 본인부담(100/100)	paclitaxel 175 mg/m^2/D IV D1 - carboplatin AUC of 5 IV D1 q 3wks 또는 - paclitaxel 200 mg/m^2 iv D1 - carboplatin AUC 6 iv D1 또는 - paclitaxel 200 mg/m^2 D1 - carboplatin AUC 5 D1 q 3wks	
2076	기타암	원발부위 미상암	gemcitabine + cisplatin	가능한 모든 검사를 하였음에도 원발부위를 알 수 없는 18세 이상의 adeno- or undifferentiated carcinoma of unknown primary	1차 이상	고식적요법 (palliative)	약값 전액 본인부담(100/100)	gemcitabine 1,250 mg/m^2/D IV D1,8 - cisplatin 100 mg/㎡/D IV D1 q 3wks	
2137	기타암	원발부위 미상암	paclitaxel + carboplatin + etoposide	가능한 모든 검사를 하였음에도 원발부위를 알 수 없는 adeno- or undifferentiated carcinoma of unknown primary	1차 이상	고식적요법 (palliative)	약값 전액 본인부담(100/100)	○ Paclitaxel 175 mg/m^2 D1 Carboplatin AUC 5 D1 Etoposide 50 mg/100 mg alternatively, by oral, D1-D10 q 3wks ○ Paclitaxel 200 mg/m^2 D1 Carboplatin AUC 6 D1 Etoposide 50 mg/100 mg alternatively PO, D1-D10 q 3wks	
2101	기타암	임신성융모막종양 또는 태반유래융모종양	paclitaxel/cisplatin + paclitaxel/etoposide	고위험군 또는 재발성 임신성융모막종양(Gestational trophoblastic tumor) 또는 태반유래융모종양(Placental site trophoblastic tumor)	2차 이상	구제요법 (salvage)	약값 전액 본인부담(100/100)	paclitaxel 135 mg/m^2 D1 250 mL NS over 3 h iv (D1) - cisplatin 60 mg/m^2, D1 in 1 L NS over 3 h iv (D1) - paclitaxel 135 mg/m^2 D15 in 250 mL NS over 3 h iv (D15) - etoposide 150 mg/m^2 D15 in 1L NS over 1 h iv (D15) TP alternating every 2 weeks with TE to form one cycle of therapy	

요법코드	암종	세부암종	항암화학요법	투여대상	투여단계	투여요법	급여상세사항	참고사항 (용법용량)	기타사항
2123	기타암	임신성융모종양	EMA (etoposide+ methotrexate+ dactinomycin	MTX 또는 dactinomycin에 저항성인 FIGO stage Ⅲ이하, WHO score 7 미만의 임신성융모종양	2차 이상	고식적요법 (palliative)	약값 전액 본인부담(100/100)	Day 1) · Etoposide 100 mg/m^2 iv bolus over 30 min · Methotrexate 100 mg/m^2 iv bolus over 30 min · Methotrexate 200 mg/m^2 iv infusion over 12 hr · Actinomycin D 12 μg/kg iv push Day 2) · Etoposide 100 mg/m^2 iv bolus over 30 min · Actinomycin D 12 μg/kg iv push · Leucovorin 15 mg q12 hr x4 (po or im starting 24hr after commencement of methotrexate) · 투여주기 : 1 cycle every 14~21 days	삭제된 미사용 요법 재신청
4030	기타암	choriocarci-noma	pembrolizumab	PD-L1 양성 항암치료 불응성 융모막암종(chemotherapy-refractory cho-riocarcinoma)	4차 이상	고식적요법 (palliative)	약값 전액 본인부담(100/100)	pembrolizumab 200 mg IV q 3weeks	
2199	기타암	pseudo-myxoma peritonei	mitomycin C 복강내 온열 항암화학요법	appendiceal mucinous neoplasm에서 기원한 복막가성점액종 환자 - 수술중 병리학적으로 pseudomyxoma peritonei 진단된 경우	-	-	약값 전액 본인부담(100/100)	종양감축술 시행 후 saline 3000 cc 내 mitomycin C 10~12.5 mg/m^2를 40~42℃로 90분간 복강내 관류	
6004	기타암	metas-tasizing leiomyoma	(anastrozole or letrozole) ± leuprolide	Benign metastasizing leiomyomas (estrogen receptor or progesterone receptor positive)	1차 이상	고식적요법 (palliative)	약값 전액 본인부담(100/100)	anastrozole 1 mg qd daily or letrozole 1 mg qd daily - 임상적 필요에 따라 5 mg qd까지 증량 가능 화학적 거세가 필요한 경우에 한하여 leuprolide 3.75 mg q 3 weeks	
6045	기타암	-	afatinib	표준 치료에 실패한 NRG1 fusion 양성 진행성, 전이성 고형암	2차 이상	고식적요법 (palliative)	약값 전액 본인부담(100/100)	afatinib 40 mg qd daily (1cycle = 28days)	
2394	기타암	생식세포종양	gemcitabine + oxaliplatin + paclitaxel	재발성 또는 cisplatin 포함 항암요법에 실패한 생식세포종양	2차 이상	고식적요법 (palliative)	약값 전액 본인부담 (100/100)	gemcitabine 800 mg/m^2, D1, 8, paclitaxel 80 mg/m^2, D1, 8, oxaliplatin 130 mg/m^2, D1, of a 3-week cycle for 8cycles	

별첨

기존 공고요법과 비교하여 삭제사항 정리

가. 항암요법

연번	구분	구연번	항암화학요법	삭제시행일	삭제사유
10. 난소암	1군	1번	bleomycin + etoposide + cisplatin	제2022-190호: 2022.8.1.	1 · 2군 항암제 정비
		5번	etoposide + cisplatin		
		6번	vinblastine + ifosfamide + cisplatin		
		7번	carboplatin + doxorubicin + cyclophosphamide		
		10번	doxorubicin + ifosfamide		
		11번	vincristine + dactinomycin + cyclophosphamide		
		12번	etoposide + carboplatin		
		16번	dactinomycin + etoposide + methotrexate + cisplatin + vincristine		
		17번	dactinomycin + etoposide + methotrexate + vincristine + cyclophosphamide		
		19번	vinblastine		
		20번	bleomycin		
		-	- 연번 15, 21의 경우와 같이 'vinorelbine 관련요법(단독 또는 병용)'은 <'platinum' 과 'taxane' 모두에 저항성이거나 또는 표준 항암요법 후 재발된 상피성 난소암>에 투여하는 것이 의학적으로 타당하므로 이를 권장함(제2006-6호: 2006.8.1)		
	2군	11번	irinotecan	제2010-4호: 2010.2.13	허가삭제
		12번	irinotecan + cisplatin	제2016-22호: 2016.2.1	허가삭제
		13번	weekly paclitaxel	제2006-3호: 2006.1.9	weekly 요법 일반원칙 적용
		14번	weekly low dose carboplatin + paclitaxel		
		18번	biweekly irinotecan		
		19번	weekly irinotecan		
		20번	irinotecan + fluorouracil	제2010-4호: 2010.2.13	허가삭제
		21번	weekly belotecan	제2006-3호: 2006.1.9	weekly 요법 일반원칙 적용

연번	구분	구연번	항암화학요법	삭제시행일	삭제사유
		16번	paclitaxel + ifosfamide + cisplatin	제2022-190호: 2022.8.1.	1 · 2군 항암제 정비
		-	- 연번 17번은 식약처에서 지정하는 임상시험 실시기관으로서 다학제적위원회에서 동 요법이 반드시 필요하다고 협의한 경우에 한하여 인정함		
		-	※ 투여요법: N (선행화학요법, neoadjuvant), A (수술후보조요법, adjuvant), P (고식적요법, palliative), S (구제요법, salvage) ◈ 복막암 및 나팔관암의 투여대상이 아래와 같을 경우 난소암치료제로 허가받은 항암제(항암요법) 투여 시 요양급여를 인정함. 1) 복막암 - 복막에서 발견된 암종(peritoneal carcinomatosis) 중 원발 부위는 알 수 없으나 다음의 3가지 조건이 모두 충족된 경우 ① 여성 환자 ② 검사를 통하여 다른 장기(위/대장 등)가 원발 부위가 아님이 입증됨 ③ Epithelial ovarian ca.에 부합되는 histologic type (serous, mucinous, endometrioid, clear cell 등)을 보임 2) 나팔관암 가. 원발성 나팔관암(fallopian tube cancer)으로 epithelial ovarian ca.에 부합되는 histologic type (serous, mucinous, endometrioid, clear cell 등)에 해당하는 경우 나. 나팔관에서 발견된 암종 중 원발 부위는 알 수 없으나 다음의 2가지 조건이 모두 충족된 경우 ① 검사를 통하여 다른 장기(위/대장 등)가 원발 부위가 아님이 입증됨 ② Epithelial ovarian ca.에 부합되는 histologic type (serous, mucinous, endometrioid, clear cell 등)을 보임		
11. 자궁 경부암	1군	3번	etoposide + cisplatin	제2022-190호: 2022.8.1.	1 · 2군 항암제 정비
		4번	fluorouracil + interferon + carboplatin		
		5번	fluorouracil + interferon + cisplatin		
		6번	cisplatin + bleomycin + ifosfamide		
		8번	bleomycin + vincristine + mitomycin C + cisplatin		
		9번	vinblastine + bleomycin + cisplatin		
		10번	doxorubicin		
		11번	etoposide (IV, PO)		
		12번	vinblastine		
		15번	etoposide + carboplatin		
	2군	5번	irinotecan + cisplatin	제2010-4호: 2010.2.13	허가삭제
		6번	irinotecan		
		4번	paclitaxel + fluorouracil	제2022-190호: 2022.8.1.	1 · 2군 항암제 정비
		-	※ 투여요법 : P (고식적요법, palliative)		

연번	구분	구연번	항암화학요법	삭제시행일	삭제사유
12. 자궁암	1군	11번	cyclophosphamide + vincristine + doxorubicin + dacarbazine	제2022-190호: 2022.8.1.	1 · 2군 항암제 정비
		12번	ifosfamide + cisplatin + etoposide		

항암제들의 구토 유발 가능성 정도

level	agent (intravenous chemotherapy)
고위험군 (90% 이상) High emetic risk (> 90% frequency of emesis)	AC combination defined as either doxorubicin or epirubicin with cyclo-phosphamide Carboplatin AUC $\geq$ 4 Carmustine $>$ 250 mg/m^2 Cisplatin Cyclophosphamide $>$ 1,500 mg/m^2 Dacarbazine Mechlorethamine Streptozocin
중등도위험군 (30-90%) Moderate emetic risk (30-90% frequency of emesis)	Aldesleukin (IL-2) $>$ 12~15 million units/m^2 Altretamine Amifostine $>$ 300 mg/m^2 Arsenic trioxide Azacitidine Bendamustine Busulfan Carboplatin AUC $<$ 4 Carmustine $\leq$ 250 mg/m^2 Clofarabine Cyclophosphamide $\leq$ 1,500 mg/m^2 Cytarabine $>$ 200 mg/m^2 Dactinomycin Daunorubicin Doxorubicin Epirubicin Idarubicin Ifosfamide Interferon alfa $\geq$ 10 million IU/m^2 Irinotecan Melphalan Methotrexate 250 ~ 1,000 mg/m^2 Oxaliplatin Temozolomide

level	agent (intravenous chemotherapy)
저위험군 (10-30%) Low emetic risk (10-30% frequency of emesis)	Aflibercept Amifostine $\leq$ 300 mg Aldesleukin (IL-2) $\leq$ 12million units/m^2 Atezolizumab Blinatumomab Brentuximab Cabazitaxel Carfilzomib Cytarabine (low dose) 100~200 mg/m^2 Docetaxel Doxorubicin (liposomal) Etoposide Eribulin Fluorouracil Floxuridine Gemcitabine Inotuzumab ozogamicin Interferon Alpha $>$ 5million IU/m^2 $<$ 10million IU/m^2 Ixabepilone Methotrexate $>$ 50 mg/m^2 $<$ 250 mg/m^2 Mitomycin Mitoxantrone Olaratumab Paclitaxel Paclitaxel-albumin Pemetrexed Pentostatin Romidepsin Topotecan Trastuzumab emtansine
최소위험군 (10% 미만) Minimal emetic risk ($<$ 10% frequency of emesis)	Alemtuzumab Asparaginase Avelumab Bevacizumab Bleomycin Bortezomib Cetuximab Cladribine Cytarabine $<$ 100 mg/m^2 Daratumumab Decitabine Dexrazoxane Denileukin diftitox Durvalumab Fludarabine Gemtuzumab ozogamicin Interferon Alpha $\leq$ 5 million IU/m^2 Ipilimumab Methotrexate $\leq$ 50 mg/m^2 Nelarabine Nivolumab Obinutuzumab Panitumumab Pegaspargase Pembrolizumab Pertuzumab Ramucirumab

level	agent (intravenous chemotherapy)
	Rituximab Siltuximab Temsirolimus Trastuzumab Valrubicin Vinblastine Vincristine Vinorelbine

항구토제 투여기준

intravenous chemotherapy

Emetogenic potential	Anti-emetics				
고위험군 (90% 이상) High (> 90% frequency of emesis)	I	Day 1	Day 2	Day 3	Day 4
		aprepitant 125 mg + serotonin (5-HT3) receptor antagonist[주1]+corticosteroid	aprepitant 80 mg + corticosteroid	aprepitant 80 mg + corticosteroid	corticosteroid
		fosaprepitant 150 mg + serotonin (5-HT3) receptor antagonist[주1]+ corticosteroid	corticosteroid	corticosteroid	corticosteroid
		(netupitant 300 mg/ palo-nosetron 0.5 mg) 경구제 + corticosteroid	corticosteroid	corticosteroid	corticosteroid
		(제2012-116호: 2012.8.1, 개정 제2018-295호: 2018.12.1)			
	II	항암요법 투여 당일[주2]	항암요법 종료 후		
		serotonin (5-HT3) receptor antagonist	serotonin (5-HT3) receptor antagonist 경구제[주3]		
		serotonin (5-HT3) receptor antagonist	metoclopramide		

<table>
<tr><th>Emetogenic potential</th><th colspan="4">Anti-emetics</th></tr>
<tr><td rowspan="8">중등도 위험군 (30-90%)

Moderate (30-90% frequency of emesis)</td><td rowspan="3">III</td><td>항암요법 투여 당일[주2]</td><td colspan="2">항암요법 종료 후</td></tr>
<tr><td>serotonin (5-HT3) receptor antagonist</td><td colspan="2">serotonin (5-HT3) receptor antagonist 경구제[주3]</td></tr>
<tr><td>serotonin (5-HT3) receptor antagonist</td><td colspan="2">metoclopramide</td></tr>
<tr><td rowspan="5">IV</td><td>Day 1</td><td>Day 2</td><td>Day 3</td></tr>
<tr><td>aprepitant 125 mg
+ serotonin (5-HT3) receptor antagonist 경구제[주4]
+ corticosteroid</td><td>aprepitant 80 mg</td><td>aprepitant 80 mg</td></tr>
<tr><td>fosaprepitant 150 mg
+ serotonin (5-HT3) receptor antagonist 경구제[주4]
+ corticosteroid</td><td>-</td><td>-</td></tr>
<tr><td>(netupitant 300 mg/ palo-nosetron 0.5 mg) 복합제[주4] + corticosteroid</td><td>-</td><td>-</td></tr>
<tr><td colspan="3">(제2010-13호: 2011.1.1, 개정 제2018-21호: 2018.2.1, 개정 제2022-138호: 2022.6.1.)</td></tr>
<tr><td rowspan="2">저위험군 (10-30%)

Low (10-30% frequency of emesis)</td><td colspan="4">corticosteroid</td></tr>
<tr><td colspan="4">No routine prophylaxis</td></tr>
<tr><td>최소위험군 (10% 미만)

Minimal (<10% frequency of emesis)</td><td colspan="4">No routine prophylaxis</td></tr>
</table>

주1. 고위험군(high emetic risk level)에서 I요법 사용 시 serotonin (5-HT3) receptor antagonist의 급여 인정 용량

약제	경구제	주사제	패취제
ondansetron	16~24 mg	8~16 mg	-
granisetron	2 mg	0.01 mg/kg 또는 1 mg	34.3 mg
ramosetron	0.1 mg	0.3 mg	-
palonosetron	-	0.25 mg	-

주2. 고위험군/중등도위험군(high/moderate emetic risk)에서 II, III요법 사용 시 항암요법 투여당일 'serotonin (5-HT3) receptor antagonist 제제'의 투여용량에 대하여는 아래의 용량 내에서 급여 인정하며, 'corticosteroid'를 필요한 경우 추가할 수 있음
- 소아의 경우 항암요법으로 인한 구역·구토에 식약처 허가 범위 내에서 급여 인정함
- 'granisetron patch (품명: 산쿠소패취)'의 경우 1주기 당 1패취 까지 급여 인정하며, 식약처 허가사항에 따라 항암요법 투여 최소 24시간 전에 적용함

- 'palonosetron (품명: 알록시주 등)'의 경우 1주기 당 1바이알까지 급여 인정하며, '3일 초과하여 지속되는 항암요법'은 격일투여를 급여 인정함(제2015-255호: 2015.11.1, 개정 제2018-21호: 2018.2.1)

약제	항암요법 투여 당일 최대 급여인정 범위	
	경구제 또는 주사제	패취제
ondansetron	8~16 mg	-
granisetron	1~3 mg	34.3 mg
ramosetron	0.3 mg	-
palonosetron	0.25 mg	-

주3. 고위험군/중등도위험군(high/moderate emetic risk)에서 Ⅱ, Ⅲ 요법에서 항암요법 종료 후 발생되는 구역·구토 예방 목적으로 'serotonin (5-HT3) receptor antagonist 경구제' 투여 시 급여인정 기준

약제	항암요법 종료 후 최대 급여인정 범위 (1일 투여 용량은 식약처 허가사항 참조)	
	고위험군(high emetic risk)	중등도위험군(moderate emetic risk)
ondansetron	5일	2일
granisetron	6정	3정
ramosetron	5일	2일

주4. 중등도위험군(moderate emetic risk level)에서는 'serotonin (5-HT3) receptor antagonist 제제'(Ⅲ요법) 투여를 원칙으로 함. 단, 'serotonin (5-HT3) receptor antagonist 제제'를 투여했음에도 불구하고 환자의 오심·구토가 grade 3 이상이면, 항암요법 다음 주기부터 'neurokinin-1 (NK-1) receptor antagonist' 병용요법(Ⅳ요법)을 실시할 수 있음 (제2010-13호: 2011.1.1, 개2022-138호: 2022.6.1.)
- 중등도위험군(moderate emetic risk level)에서 Ⅳ요법 사용 시 'serotonin (5-HT3) receptor antagonist 경구제'의 급여 인정 용량

약제	경구제
ondansetron	16 mg
granisetron	1 mg
ramosetron	0.1 mg

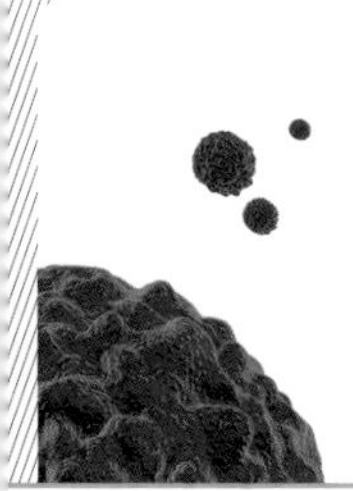

10 SECTION

부인암 수술동의서

대한부인종양학회에서는 부인종양학 지식과 첨단 진료 방법 등의 발전을 평가하고 특히 외과적인 부인암 수술에 대한 이해도를 증진시키고 환자와의 원활한 소통을 하기 위해서 2022년 3월 부인암 수술동의서(난소암, 자궁내막암, 자궁경부암)를 개발하였습니다.

이 수술동의서를 통해 학회 회원의 보호와 함께 환자의 이해도와 만족도를 향상시킬 수 있고, 환자-의사 사이의 신뢰 관계를 쌓는데 큰 도움이 될 것이라고 생각됩니다.

난소암 수술동의서

다음은 환자의 수술에 필요한 동의서입니다. 수술에 대하여 설명을 들으시고 궁금한 점에 대하여는 설명하는 의료진에게 반드시 문의하시고 이하 양식을 작성하여 주십시오.

1. 환자 기본 정보

등록번호		성명	
생년월일		나이/성별	

2. 수술 정보

진단명		
수술명		
수술방법	□ 개복 □ 복강경 □ 로봇	
참여의료진	집도의:	전문진료과목: 산부인과/부인종양
시행예정일	년 월 일	

3. 환자의 현재 상태

과거 병력(질병 · 상해전력)	□유 □무 □미상	알레르기	□유 □무 □미상
특이체질	□유 □무 □미상	당뇨병	□유 □무 □미상
고 · 저혈압	□유 □무 □미상	마약사고	□유 □무 □미상
복용약물	□유 □무 □미상	기도이상	□유 □무 □미상
흡연여부	□유 □무 □미상	출혈소인	□유 □무 □미상
심장질환(심근경색 등)	□유 □무 □미상	호흡기질환(기침 · 가래 등)	□유 □무 □미상
신장질환(부종 등)	□유 □무 □미상	기타	□유 □무 □미상

대한부인종양학회
Korean Society of Gynecologic Oncology

4. 수술의 목적 및 효과

1) 확진

난소암, 난관암 그리고 원발성 복막암의 증상, 치료 및 예후는 유사합니다. 이들 질환이 의심되면 CT, MRI, PET/CT 등과 같은 여러 검사를 시행하지만, 수술을 통해 병변을 직접 확인하고, 조직을 절제하여 병리학적 진단을 통해 원발부위를 확인합니다.

2) 병기 설정

수술을 통해 전이된 병변을 확인 후 절제하여 암이 퍼진 정도를 확인하여 병기를 판단합니다.

3) 조직학적 분류

수술 후 조직 검사에서 어떤 유형의 세포로 구성되어 있는가를 알 수 있어 환자분의 추가 치료를 계획하고 예후를 예측하는데 중요한 역할을 합니다.

4) 종양 감축

원발 종양 및 전이 병변을 최대한 제거하는 것이 치료의 핵심으로, 수술 후 남아있는 종양이 적을수록 항암제에 대한 반응이 좋아 생존률이 향상됩니다.

5) 유전자검사

최근에는 수술 후 얻어진 조직 검체를 이용하여 유전자 변이 검사를 포함한 생물학적 표지자 검사를 시행함으로써 세분화된 개인별 맞춤 치료 계획을 세우고 예후를 향상시키는 데 도움이 됩니다.

5. 수술의 위험 요소

환자의 나이가 70세 이상, 수술 시간이 길어진 경우, 수술 범위가 큰 경우, 환자의 전신 활동이 제한적인 경우, 영양 상태가 불량한 경우, 만성질환(고혈압, 당뇨, 면역질환 등)이 있는 경우는 수술 이후에 회복이 늦어질 수 있으며, 장기간 중환자실 치료가 필요할 수 있습니다.

6. 대체 치료방법

대량의 흉수나 복수, 장간막 전이 또는 간 실질 등으로 전이가 있어 완전한 절제가 어렵거나 수술 후 합병증 위험성이 높은 경우에는 우선 항암화학요법을 시행한 후 종양감축술을 시행할 수 있습니다.

또한, 환자가 내과적 질환이나 다른 이유로 수술을 진행하기 곤란한 경우에는 증상 완화를 위해 고식적 항암화학요법을 시행할 수 있으나, 치료의 효과는 제한적입니다.

7. 수술을 하지 않을 경우 발생할 위험

정확한 병기와 종양세포의 유형 등을 알기 어려워 치료 계획의 수립이 어렵고, 전이가 진행하여 복수로 인한 복부팽만 및 영양섭취 불량, 통증 등으로 삶의 질이 떨어지고 다발성 장기 부전으로 사망에 이르게 됩니다.

8. 수술방법 및 변경 가능성

- ☐ 개복 수술
- ☐ 복강경 수술
- ☐ 로봇 수술

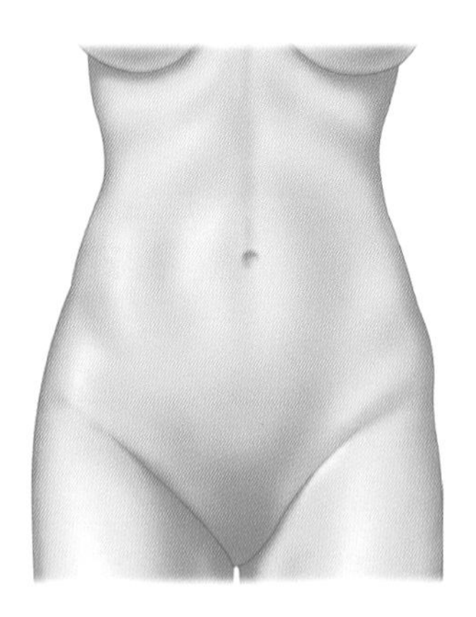

수술은 수술 전 검사 소견, 환자의 내과적 상태와 과거력을 고려하여 개복, 복강경 혹은 로봇 수술 중에서 시행됩니다. 수술 전 검사에서 진행성 병기가 의심되거나 다른 부인과 질환이 동반된 경우, 과거 수술력에 따른 복강 유착이 의심되는 경우 등 복강경이나 로봇 수술로 병변을 안전하고 완벽하게 제거하는 것이 어렵다고 판단되는 경우에는 개복 수술로 진행하거나 복강경 혹은 로봇 수술 중일지라도 개복 수술로 변경될 수 있습니다.

개복 수술의 경우 일반적으로 치골 상부부터 배꼽 부위까지 세로 절개를 시행하나 병변의 진행 상태나 비만도에 따라 절개 범위가 상복부까지 확장될 수 있습니다. 복강경이나 로봇 수술의 경우는 일반적으로 배꼽 또는 배꼽 상방 및 하복부에 투관침 삽입을 통하여 수술을 시행합니다. 투관침의 위치나 개수는 수술 범위 또는 상황에 따라 변경될 수 있습니다.

9. 수술 범위

난소의 수술 부위: ☐ 좌측 ☐ 우측 ☐ 양측

원발 종양 및 전이 병변을 가능한 많이 제거하여 잔류 종양을 줄이기 위해 전이 정도에 따라 아래의 수술이 진행될 수 있습니다.

☐ 자궁절제술 ☐ 복강내 복수 또는 세척 세포 검사 ☐ 난소난관절제술
☐ 대망절제술 ☐ 골반 림프절절제술 또는 생검 ☐ 대동맥주위 림프절절제술 또는 생검
☐ 복강 복막절제 또는 생검 ☐ 횡경막 복막절제 또는 생검
☐ 의심 부위에 대한 절제 또는 생검

☐ 대장 또는 소장 절제술 ☐ 충수돌기 절제술
☐ 간 부분 절제 ☐ 비장 절제술
☐ 방광 절제술
☐ 기타:

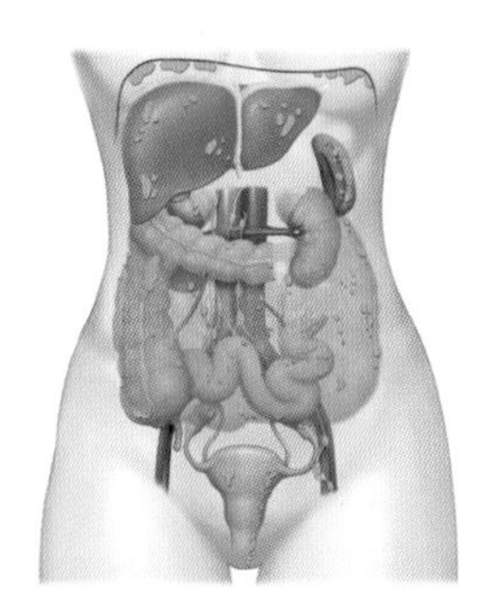
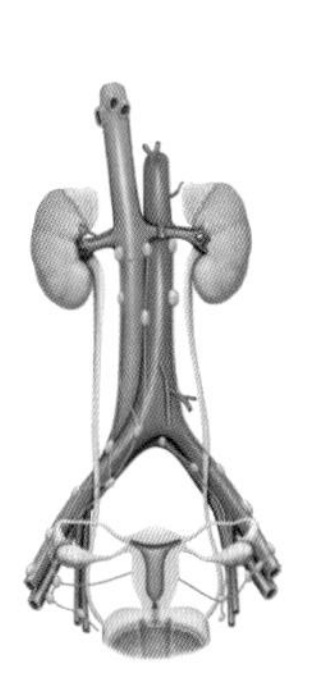

소화기계나 비뇨기계 등의 장기에 종양 전이가 있거나 수술 중 손상이 발생한 경우에는 외과, 비뇨의학과 등 타 진료과와 수술 협진을 시행하며 수술 범위가 추가될 수 있습니다. 이 경우, 추가 수술의 시행 전에 대리인에게 설명하고 동의를 받을 것입니다. 그러나, 수술 중 환자의 상태에 따라 미리 설명하고 동의를 얻을 수 없을 정도로 긴급하게 수술방법 및 범위의 변경이 요구되는 경우에는 수술을 시행한 후에 지체 없이 변경 사유 및 시행결과를 환자 또는 대리인에게 설명하겠습니다.

10. 수술 추정 소요시간

수술 시간은 수술 범위, 수술실 내 추가 검사, 환자 상태(복강 내 유착, 혈관 발달 등)에 따라 차이가 있으나 일반적으로 피부 절개에서 봉합까지 약 6-8시간 정도 소요됩니다. 수술 종료 후 회복실에서의 안정 시간까지 고려한다면 병실로 다시 돌아가기까지는 약 8-10시간 정도가 소요됩니다. 수술 전 예상과 달리 병의 진행 정도가 심하거나 추가 수술을 시행한 경우에는 수술 시간이 예상보다 길어질 수 있으며, 이런 경우 수술 소요시간을 정확하게 추정하기 어려울 수 있습니다.

11. 주치의(집도의) 변경 가능성

수술 과정에서 환자의 상태 또는 의료기관의 사정(응급환자의 진료, 주치의(집도의)의 질병 · 출산 등 일신상 사유, 기타 변경사유:)에 따라 부득이하게 주치의(집도의)가 변경될 수 있습니다. 이 경우 수술의 시행 전에 환자 또는 대리인에게 변경 사유를 설명하고 서면동의를 받을 것입니다.

그러나, 수술의 시행 도중에 환자의 상태에 따라 미리 설명하고 동의를 얻을 수 없을 정도로 긴급한 집도의의 변경이 요구되는 경우에는 수술 시행 후에 지체 없이 집도의의 변경 사유 및 수술의 시행결과를 환자 또는 대리인에게 설명하겠습니다.

12. 수술에 따른 발생 가능한 합병증 및 대처방법

1) 주변 장기 손상

유착이 심하거나 병변이 주변 장기(방광, 요관, 요도, 대장, 소장 등)와 인접해 있는 경우에 손상이 발생할 수 있으며, 해당 전문과(외과, 비뇨의학과 등)의 수술(장 절제술 및 문합술, 인공항문/방광, 요관 부목 삽입 등) 및 치료가 필요할 수 있습니다. 이때, 필요에 따라 인공항문(장루), 인공방광(요루)를 만들 수 있습니다.

2) 출혈

수술 중 발생하는 출혈 정도에 따라 수술 중 또는 후에 수혈이 필요할 수 있습니다. 큰 혈관(대동맥, 하대정맥, 장골 혈관 등)의 손상이 발생하는 경우 평균 출혈량보다 더 많은 출혈이 발생할 수 있고, 손상 정도에 따라 전문과(혈관외과, 흉부외과 등)의 수술 및 치료가 요구될 수 있습니다.

3) 수술 후 출혈, 혈종에 의한 재수술 가능성

출혈이 발생하였을 경우 혈관 봉합술, 전기소작술, 수혈, 지혈제 사용, 동맥 색전술 등 보존적 방법을 시도하지만, 출혈이 지속되거나 생체 징후가 불안정할 때는 지혈을 위해 재수술을 할 수 있습니다.

4) 운동 및 감각 기능 저하

장시간 특정 자세로 수술을 시행하기 때문에 압박으로 인한 상완신경총, 좌골신경 그리고 종아리 신경에 신경병증이 발생하여 상지와 하지의 감각 및 운동기능 저하가 발생할 수 있습니다. 또한, 병변이 크거나 전이가 있어 신경조직과 유착이 생기거나 직접 침범을 한 경우에 종양의 절제 과정 중 불가피하게 손상이 발생할 수 있습니다. 대부분은 일시적으로 발생하여 자연 회복되지만, 간혹 수개월 이상의 약물 및 재활 치료가 필요할 수 있습니다. 심한 경우 회복되지 않고 영구적 후유증으로 남는 경우도 발생할 수 있습니다.

5) 수술 부위 통증

수술 부위의 통증은 수술 후 2-3일간 심하고, 이후 대개 완화되며, 진통제나 자가통증조절장치 등을 사용해서 조절하게 됩니다

6) 혈전색전증

혈전 등에 의한 색전증이 폐, 뇌, 심장, 혹은 하지 등에 발생할 수 있습니다. 경미한 경우에는 하지부종 및 통증, 호흡곤란 등의 증상이 발생하지만, 심한 경우에는 반신불수 혹은 심장마비로 사망할 수 있습니다. 수술 후 색전증의 위험성이 높은 환자에서 수술 전후에 항혈전제를 사용하거나 하체에 탄력 스타킹을 착용하여 색전증을 감소시키고 있습니다.

7) 하지부종 및 림프낭종

림프절 절제로 인한 하지부종이나 림프낭종이 발생할 수 있고 하지부종은 통증을 동반하기도 하며 증상의 개선이 없이 영구적으로 지속될 수 있습니다. 또한, 대동맥주위 림프절절제술 후에 림프액의 복강 내 누출이 발생할 수 있습니다. 이때 소장을 통해 흡수된 지방 성분이 함께 누출될 수 있으며, 이로 인한 복막염이 발생할 수 있습니다. 이는 일정 기간의 금식 또는 저지방 식이로 회복을 기대할 수 있습니다. 림프낭종은 충분한 시간이 지나면 재흡수가 되나, 그렇지 못한 경우에는 배액관을 설치하여 제거하거나 외과적 처치를 할 수도 있습니다. 절제 범위가 커질수록 정도가 심해질 수 있고 재발도 가능합니다.

8) 장 문합부 파열

대장이나 소장을 절제한 경우 연결부위에 염증이 발생하고, 이로 인하여 문합부가 파열되는 합병증입니다. 복막염이 심한 경우 재수술을 시행하여야 하고, 이때 인공항문을 일시적으로 만들 수 있습니다. 경과에 따라 추후 인공항문 복원 수술을 할 수 있습니다.

9) 장폐색

수술 후 유착과 장운동 저하로 인하여 장폐색이 발생할 수 있습니다. 금식 또는 비위관 삽입으로 증상 완화를 기대할 수 있으나, 심한 경우 장의 일부분을 절제하는 수술을 시행할 수 있습니다.

10) 수술 창상 감염

수술 부위의 감염이 발생할 수 있으며, 이로 인하여 수술 부위 파열 및 탈장이 동반될 수 있습니다. 파열 부위의 소독 후 재봉합을 통해 특별한 후유증 없이 회복되지만, 치료로 인하여 입원 기간이 연장될 수 있습니다.

11) 기타 감염

수술 후 감염(요로감염, 폐렴, 정맥염 등) 발생 시 입원 치료 기간이 연장될 수 있으며, 복강 내 염증이 발생한 경우에는 재수술이 필요할 수 있습니다. 적절한 예방적 항생제를 통하여 발생 위험을 줄이고 있습니다.

12) 배뇨장애

수술 후 방광 기능 저하가 발생할 수 있습니다. 이런 경우에는 도뇨와 약물요법으로 치료하며, 일부에서는 수개월 지속되거나 영구적일 수 있습니다

13) 면역력 약화

비장 절제술이 동반될 경우 특정 세균 및 바이러스의 감염에 취약해질 수 있습니다. 그러나 이는 해당 백신(독감, 파상풍, 백일해 등)의 접종으로 예방 가능합니다.

14) 주변 장기와의 누공

수술의 범위가 커지면서 주변 장기와의 경계가 얇아지고 이로 인하여 직장-질 또는 방광-질 누공이 발생할 수 있습니다. 이럴 경우 변이나 소변이 질을 통해 배출될 수 있으며, 추가 수술이 필요할 수 있습니다.

15) 장시간 수술에 따른 합병증

장시간 수술로 인하여 수술 후 급성 신장기능저하, 무기폐, 폐렴, 심근 허혈, 혈압 저하 등이 발생할 수 있으며 적절한 지지 요법을 시행하여 발생을 줄이고 있습니다. 증상이 심하거나 회복이 늦어지는 경우에는 인공호흡기 사용 및 중환자실 치료를 시행하며, 심할 경우 사망에 이를 수도 있습니다.

13. 수술 후 주의사항

1) 수술 후 발생할 수 있는 무기폐 및 발열의 예방을 위해 기침 및 심호흡을 많이 하십시오.
2) 수술 후 조기보행을 하셔야 복강 내 유착, 혈전색전증, 장폐색 등의 합병증 발생을 줄일 수 있습니다
3) 식사는 가스가 나온 후 실시하거나 수술 후 2-3일 부터 시행하며 장 절제술을 시행하였거나 유착이 심한 경우에는 금식 기간이 길어질 수 있습니다. 식사가 시작되기 전까지는 정맥을 통하여 수액과 영양이 공급됩니다.
4) 도뇨관은 대개 2일에서 1주일 안에 뽑게 되며, 수술하고 나오면 복부의 측면으로 복강의 출혈을 관찰하기 위한 배액관이 연결된 것을 볼 수 있습니다. 배액관은 배액의 색깔 및 양을 보고 제거 여부를 결정합니다.
5) 수술 후 퇴원은 환자분의 상태에 따라 달라지나, 대개 1-2주 정도 사이에 이루어지게 됩니다. 조직검사의 결과에 따라 추가적인 수술이나 검사 혹은 항암 치료(항암화학요법 및 방사선 요법)가 필요할 수 있습니다.
6) 식사는 일반적인 가정식을 드시면 됩니다. 수술 후엔 소화가 잘되지 않고 더부룩하고 변비 또는 설사, 복부 팽만 등이 발생하기 쉬우므로, 충분한 수분 섭취 및 섬유질이 풍부하고 소화가 잘되는 음식을 소량씩 자주 드십시오.
7) 실밥을 제거하고 퇴원하시는 분은 바로 가벼운 샤워가 가능하지만, 자궁절제 후 질을 봉합한 부위에 감염이 될 수 있으므로 통 목욕은 4-6주 정도 금하는 것이 좋습니다.
8) 수술 후 산책 같은 가벼운 운동은 전신적인 회복에 도움을 줄 수 있습니다. 초기 빈혈과 현기증 증상에 주의하며, 낮은 단계(침상 내 운동 등)부터 보호자와 함께 시행하십시오. 무리한 운동이나 부부관계는 6-8주 이후에 하는 것이 좋습니다.
9) 질 분비물은 수술 후 약 3-4주간 피와 고름이 섞인 형태로 나올 수 있습니다. 만약 패드를 흠뻑 적실 정도로 출혈량이 많거나 투명한 물이 다량 흘러나오는 경우, 악취나 통증이 심한 경우에

는 외래로 내원하십시오.

10) 퇴원 후 다음과 같은 증상들이 발생 시에는 검사 혹은 입원치료가 필요할 수 있으므로 재내원 하기 바랍니다: ① 수술 부위의 부종, 발적, 분비물 발생 및 통증의 악화, ② 38도 이상의 고열, ③ 지속되거나 악화되는 적색 또는 선홍색의 질출혈, ④ 퇴원 시 보다 더 악화되는 복부통증

14. 기타 동의 사항(체크표시)

☐ 마취 동의: 별도의 동의서 이용

☐ 수혈 동의: 별도의 동의서 이용

☐ 수술부위 표식 동의

안전한 수술을 위한 부위 표식에 대한 설명을 들었으며, 이에 동의합니다.

☐ 동결절편검사 및 병리조직검사 시행 동의

수술 중 암세포 확인을 위해 동결절편검사를 시행할 수 있습니다. 동결절편검사의 결과는 수술 후 시행되는 조직검사 결과에 따라서 변경될 수 있습니다. 수술 병리조직 검체의 정확한 진단을 위하여 특수염색, 면역조직화학검사, 분자병리검사 및 전자현미경검사 등 추가적 검사가 필요할 수 있음을 설명 들었으며, 정확한 진단을 위해 시행한 추가 검사비의 수납이 부득이한 경우 퇴원 이후에 이루어질 수 있음을 이해하였습니다. 이러한 제반 병리조직 검사비 지불에 동의합니다.

☐ 특수검사 시행 가능성 동의

수술 후 정확한 진단을 위하여 추가로 특수 검사를 시행할 수 있으며 이 경우 추가 비용을 청구할 수 있습니다.

☐ 인체 유래물 연구 동의: 별도의 동의서 이용

☐ 기타

① 의사의 상세한 설명은 추가 서식(별지)을 이용하여 작성할 수 있습니다.

② 환자(또는 대리인)는 이 동의서 또는 추가 작성 서식 사본에 대한 교부를 요청할 수 있으며, 지체 없이 교부 할 것입니다. 단, 동의서 또는 추가 작성 서식 사본 교부 시 비용을 청구할 수 있습니다.

③ 동의서는 본인의 서명이나 날인으로 유효하나, 본인이 서명하기 어려운 신체적, 정신적 장애가 있거나 미성년자일 경우에는 사유를 명시하여 보호자 또는 대리인이 이를 대신합니다.

15. 기타 특이사항

16. 나는 다음의 사항을 확인하고 동의합니다. (체크)

나(또는 환자)는 나 스스로의 의지에 의해 수술에 관한 설명을 충분히 들었음을 확인합니다.	☐
나(또는 환자)는 수술의 목적 · 효과 · 과정 · 예상되는 합병증 · 후유증 등에 대한 설명(필요 시 별지 포함)을 의사로부터 들었음을 확인합니다.	☐
이 수술로서 불가항력적으로 야기될 수 있는 합병증 또는 환자의 특이 체질로 예상치 못한 사고가 생길 수 있다는 점을 위의 설명으로 이해했음을 확인합니다.	☐
이 수술에 협력하고, 이 동의서의 '3. 환자의 현재 상태'에 대해 성실하게 고지할 것을 서약하며, 이에 따른 의학적 처리를 주치의의 판단에 위임하여 이 수술을 하는 데에 동의합니다.	☐
수술 방법의 변경 또는 수술 범위의 추가 가능성에 대한 설명을 이 수술의 시행 전에 의사로부터 들었음을 확인합니다.	☐
주치의(집도의)의 변경 가능성과 사유에 대한 설명을 이 수술의 시행 전에 의사로부터 들었음을 확인합니다.	☐
나(보호자)는 이 수술에 협력하고, 이 동의서의 항목에 대해 성실하게 고지할 것을 서약합니다.	☐
의학 교육을 위해 집도의 지도감독하에 학생의사(의과대학생)의 수술참관(참여)에 동의합니다.	☐

년 월 일

환자명: (서명 또는 날인)
주민등록상의 생년월일:
주소:
휴대전화:

대리인(환자의): (서명 또는 날인)
주민등록상의 생년월일:
주소:
휴대전화:

* 대리인이 서명하게 된 사유

☐ 환자의 신체적·정신적 장애로 인하여 약정 내용에 대하여 이해하지 못함

☐ 미성년자로서 약정 내용에 대하여 이해하지 못함

☐ 설명하는 것이 환자의 심신에 중대한 나쁜 영향을 미칠 것이 명백함

☐ 환자 본인이 승낙에 관한 권한을 특정인에게 위임함

(이 경우 별도의 위임계약서를 본 동의서에 첨부하여야 합니다)

☐ 기타: ____________________

수술 상담자(의사)	
이름:	(서명)

자궁내막암 수술동의서

다음은 환자의 수술에 필요한 동의서입니다. 수술에 대하여 설명을 들으시고 궁금한 점에 대하여는 설명하는 의료진에게 반드시 문의하시고 이하 양식을 작성하여 주십시오.

1. 환자 기본 정보

등록번호		성명	
생년월일		나이/성별	

2. 수술 정보

진단명		
수술명		
수술방법	□ 개복 □ 복강경 □ 로봇	
수술범위	□ 자궁절제술 □ 골반세척세포검사 난소: □ 절제 □ 보존 림프절 절제: □ 시행 안 함 □ 감시림프절 □ 골반 림프절 □ 대동맥주위 림프절 □ 기타 (종양감축술 포함:)	
참여의료진	집도의:	전문진료과목: 산부인과/부인종양
시행예정일	년 월 일	

3. 환자의 현재 상태

과거 병력(질병 · 상해전력)	□유 □무 □미상	알레르기	□유 □무 □미상
특이체질	□유 □무 □미상	당뇨병	□유 □무 □미상
고 · 저혈압	□유 □무 □미상	마약사고	□유 □무 □미상
복용약물	□유 □무 □미상	기도이상	□유 □무 □미상
흡연여부	□유 □무 □미상	출혈소인	□유 □무 □미상
심장질환(심근경색 등)	□유 □무 □미상	호흡기질환(기침 · 가래 등)	□유 □무 □미상
신장질환(부종 등)	□유 □무 □미상	기타	□유 □무 □미상

4. 수술의 목적 및 효과

자궁내막암의 표준 치료는 자궁절제술(양측 난소/난관 절제술 포함 가능)을 포함한 병기설정 수술입니다.

수술 후 조직병리학적 예후인자를 확인하여 생존율 향상과 재발률 감소를 위해 항암화학요법 및 방사선 치료 등의 시행 여부를 결정하게 됩니다. 더불어 수술 후 얻어진 조직 검체를 통해 유전자 변이 검사를 포함한 생물학적 표지자 검사를 시행함으로써 좀 더 세분화된 추가 치료 계획을 세우고 예후를 예측하는 데 도움을 주고 있습니다.

5. 수술의 위험 요소

환자의 나이가 70세 이상, 수술 시간이 길어진 경우, 수술 범위가 큰 경우, 환자의 전신 활동이 제한적인 경우, 영양 상태가 불량한 경우, 만성질환(고혈압, 당뇨, 면역질환 등)이 있는 경우는 수술 이후에 회복이 늦어질 수 있으며, 장기간 중환자실 치료가 필요할 수 있습니다.

6. 대체 치료방법

가임력 보존을 원할 시, 초기 자궁내막암이면서 특정 조직병리학적 조건을 모두 갖춘 경우, 제한적으로 호르몬(프로게스테론) 치료를 시도해 볼 수 있습니다. 또한, 환자의 전신상태나 수술에 따른 합병증 발생 위험성이 높은 경우, 수술 외에 시도할 수 있는 치료는 전신항암화학요법과 방사선 치료가 있으나 이는 수술을 대체하는 표준 치료가 아니므로 수술을 포함한 표준 치료를 받는 경우보다 예후가 불량할 수 있습니다.

7. 수술을 하지 않을 경우 발생할 위험

적절한 시기에 수술이 진행되지 않을 경우, 암세포로 이루어진 병변의 크기가 증가하고 직접 또는 혈액이나 림프관을 통한 전이 병변이 늘어남으로써, 삶의 질이 떨어지고 사망에 이르게 될 것입니다.

8. 수술방법 및 변경 가능성

☐ 개복 수술
☐ 복강경 수술
☐ 로봇 수술

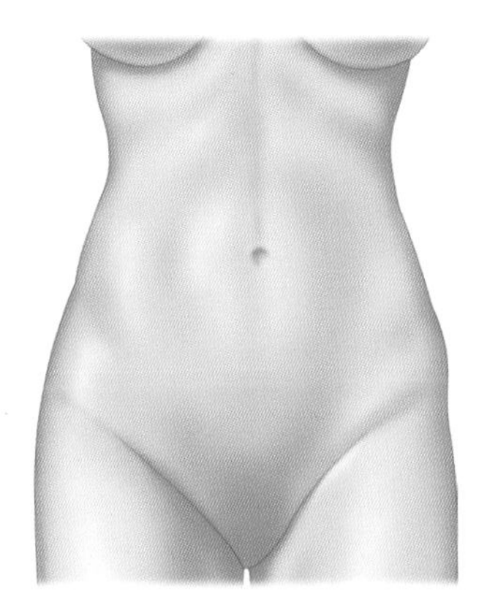

수술은 수술 전 검사 소견과 환자의 내과적 상태와 과거력을 고려하여 개복, 복강경 혹은 로봇 수술 중에서 시행됩니다. 수술 전 검사에서 다른 부인과 질환이 동반되어 있거나 진행성 병기가 의심되는 경우, 과거 수술력에 따른 복강 유착이 의심되는 경우처럼 복강경이나 로봇 수술로 병변을 안전하고 완벽하게 제거하는 것이 어렵다고 판단되는 경우에 개복 수술로 진행하거나 복강경 혹은 로봇 수술 중에 개복 수술로 변경될 수 있습니다.

개복 수술의 경우 치골 상부부터 배꼽 부위까지 세로 절개를 시행하나 병변의 진행 상태나 비만도에 따라 절개의 범위가 상복부까지 확장될 수 있습니다. 복강경 및 로봇 수술의 경우는 일반적으로 배꼽 또는 배꼽 상방 및 하복부에 투관침 삽입을 통하여 수술을 하게 됩니다. 투관침의 위치나 삽입 개수는 수술 범위에 따라 변경될 수 있습니다.

9. 수술 범위

초기 자궁내막암에서는 표준 치료로 골반세척세포검사, 자궁절제술과 양측 난관난소절제술을 시행합니다.

난소 보존을 원하는 경우 초기 자궁내막암에서 환자의 나이와 재발 위험 인자를 고려하여 시행할 수 있으나 난소 전이가 발생하여 예후에 나쁜 영향을 줄 수 있습니다.

수술 전 검사나 수술 중 육안 소견에 따라 골반과 대동맥주위 림프절절제술을 시행할 수 있습니다. 림프절절제술의 범위는 모든 림프절을 절제하거나 육안적으로 크기가 증가된 림프절만 선택하여 절제하는 방법이 있으며, 감시림프절(암세포가 첫 번째로 도달하는 림프절) 검사를 통해 확인되는 림프절만 선택적으로 절제할 수도 있습니다. 만약, 수술 중 발생하는 내과적 문제로 인하여 병기설정 수술을 진행하기 위험한 환자에서는 수술 시간을 줄이기 위해 자궁절제술만을 시행할 수 있습니다.

진행성 자궁내막암에서는 이외에도 전이 의심 병변을 가능한 제거하는 종양감축술을 시행합니다. 소화기계나 비뇨기계 등의 장기에 종양 전이가 있거나 수술 중 손상이 발생한 경우에는 외과, 비뇨의학과 등 타 진료과와 수술 협진을 시행하며 수술 범위가 추가될 수 있습니다. 이 경우, 추가 수술의 시행 전에 대리인에게 설명하고 동의를 받을 것입니다. 그러나, 수술의 시행 도중에 환자의 상태에 따라 미리 설명하고 동의를 얻을 수 없을 정도로 긴급하게 수술방법 및 범위의 변경이 요구되는 경우에는 수술을 시행한 후에 지체 없이 변경 사유 및 시행결과를 환자 또는 대리인에게 설명하겠습니다.

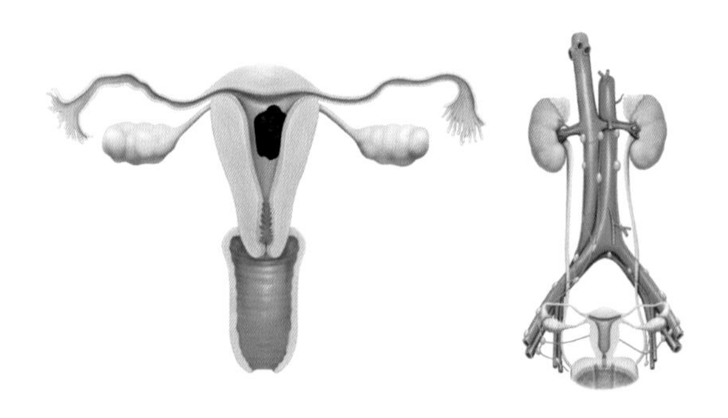

10. 수술 추정 소요시간

수술 시간은 수술 범위, 수술실 내 추가 검사, 환자 상태(복강 내 유착, 혈관의 발달 등)에 따라 차이가 있으나 일반적으로 피부 절개에서 봉합까지 약 2-4시간 정도가 소요됩니다. 수술을 위한 준비과정과 수술 종료 후 회복실에서의 안정 시간까지 고려한다면 병실로 다시 돌아가기까지는 약 6시간 이상이 소요됩니다. 수술 전 예상과 달리 병의 진행 정도가 심하거나 추가 수술을 시행한 경우에는 수술 시간이 예상보다 길어질 수 있으며, 이런 경우 수술 소요시간을 정확하게 추정하기 어려울 수 있습니다.

11. 주치의(집도의) 변경 가능성

수술 과정에서 환자의 상태 또는 의료기관의 사정(응급환자 진료, 주치의(집도의)의 질병, 출산 등 일신상의 사유, 기타 변경 사유:)에 따라 부득이하게 주치의(집도의)가 변경될 수 있습니다. 이 경우에는 수술 시행 전에 환자 또는 대리인에게 변경 사유를 설명하고 서면동의를 받을 것입니다.

그러나, 수술 시행 도중에 환자의 상태에 따라 미리 설명하고 동의를 얻을 수 없을 정도로 긴급한 집도의의 변경이 요구되는 경우에는 수술 시행 후에 지체 없이 집도의의 변경 사유 및 수술의 시행결과를 환자 또는 대리인에게 설명하겠습니다.

12. 수술에 따른 발생 가능한 합병증 및 대처방법

1) 주변 장기 손상

유착이 심하거나 병변이 주변 장기(방광, 요관, 요도, 대장, 소장 등)와 인접해 있는 경우에 손상이 발생할 수 있으며, 해당 전문과(외과, 비뇨의학과 등)의 수술 및 치료가 필요할 수 있습니다.

2) 출혈

수술 중 발생하는 출혈 정도에 따라 수술 중, 후에 수혈이 필요할 수 있습니다. 큰 혈관의 손상이 발생한 경우에는 평균 출혈량보다 더 많은 출혈이 발생할 수 있고, 손상 정도에 따라 전문과(혈관외과, 흉부외과 등)의 수술 및 치료가 요구될 수 있습니다. 일반적으로 혈관 봉합술, 전기소작술, 수혈, 지혈제 사용, 동맥 색전술 등 보존적 방법을 시도하지만, 수술 후에도 출혈이 지속되거나 생체 징후가 불안정할 때는 지혈을 위해 재수술을 할 수 있습니다.

3) 운동 및 감각 기능 저하

장시간 특정 자세로 수술을 시행하기 때문에 신경이나 근육 압박으로 인한 신경병증이 발생하여 상지와 하지의 감각 및 운동기능 저하가 발생할 수 있습니다. 또한, 병변이 크거나 전이가 있어 신경조직과 유착이 생기거나 직접 침범을 한 경우에 종양의 절제 과정 중 불가피하게 손상이 발생할 수 있습니다. 대부분은 일시적으로 발생하여 자연 회복되지만, 간혹 수개월 이상의 약물 및 재활 치료가 필요할 수 있습니다. 심한 경우 회복되지 않고 영구적 후유증으로 남는 경우도 발생할 수 있습니다.

4) 수술 부위 통증

수술 부위의 통증은 수술 후 2-3일간 심하고, 이후 대개 완화되며, 진통제나 자가통증조절장치 등을 사용해서 조절하게 됩니다.

5) 혈전색전증

혈전 등에 의한 색전증이 폐, 뇌, 심장, 혹은 하지 등에 발생할 수 있습니다. 경미한 경우에는 하지부종 및 통증, 호흡곤란 등의 증상이 발생하지만, 심한 경우에는 반신불수 혹은 심장마비로 사망할 수 있습니다. 수술 후 색전증의 위험성이 높은 환자에서 수술 전후에 항혈전제를 사용하거나 하체에 탄력 스타킹을 착용하여 색전증을 감소시키고 있습니다.

6) 하지부종 및 림프낭종

림프절 절제로 인한 하지부종이나 림프낭종이 발생할 수 있고 하지부종은 통증을 동반하기도 하며 증상의 개선이 없이 영구적으로 지속될 수 있습니다. 또한, 대동맥주위 림프절절제술 후에 림프액의 복강 내 누출이 발생할 수 있습니다. 이때 소장을 통해 흡수된 지방 성분이 함께 누출될 수 있으며, 이로 인한 복막염이 발생할 수 있습니다. 이는 일정 기간의 금식 또는 저지방 식이로 회복을 기대할 수 있습니다. 림프낭종은 충분한 시간이 지나면 재흡수가 되나, 그렇지 못한 경우에는 배액관을 설치하여 제거하거나 외과적 처치를 할 수도 있습니다. 절제 범위가 커질수록 정도가 심해질 수 있고 재발도 가능합니다.

7) 장폐색

수술 후 유착과 장운동 저하로 인하여 장폐색이 발생할 수 있습니다. 금식 또는 비위관 삽입으로 증상 완화를 기대할 수 있으나, 심한 경우 장의 일부분을 절제하는 수술을 시행할 수 있습니다.

8) 수술 창상 및 기타 감염

수술 부위의 감염이 발생할 수 있으며, 이로 인하여 수술 부위 파열 및 탈장이 동반될 수 있습니다. 파열 부위의 소독 후 재봉합을 통해 회복되지만, 이로 인하여 입원 기간이 연장될 수 있습니다. 수술 후 감염(요로감염, 폐렴, 정맥염 등) 발생 시에도 입원치료 기간이 연장될 수 있으며, 복강 내 염증이 발생한 경우에는 재수술이 필요할 수 있습니다. 적절한 예방적 항생제를 통하여 발생 위험을 줄이고 있습니다.

9) 배뇨장애

수술 후 방광기능 저하가 발생할 수 있습니다. 이런 경우에는 도뇨와 약물요법으로 치료하며 일부에서는 수개월 지속되거나 영구적일 수 있습니다.

10) 주변 장기와의 누공

수술 범위가 커지면서 주변 장기와의 경계가 얇아지고 이로 인하여 직장-질 또는 방광-질 누공이 발생할 수 있습니다. 이럴 경우, 변이나 소변이 질을 통해 배출될 수 있으며 추가 수술이 필요할 수 있습니다.

11) 장시간 수술에 따른 합병증

장시간 수술로 인하여 수술 후 급성 신장기능저하, 무기폐, 폐렴, 심근허혈, 혈압 저하 등이 발생할 수 있으며 적절한 지지 요법을 시행하여 발생을 줄이고 있습니다. 증상이 심하거나 회복이 늦어지는 경우에는 인공호흡기 사용 및 중환자실 치료를 시행하며, 심할 경우 사망에 이를 수도 있습니다.

13. 수술 후 주의사항

1) 수술 직후 숨을 크게 들이 마시고 내쉬는 연습을 통해 무기폐로 인한 발열을 줄일 수 있습니다.
2) 수술을 마치고 난 후에는 가능한 한 빨리, 많이 걸어야 수술로 인한 장 마비 발생을 줄일 수 있습니다.

3) 보통 소량의 물을 마시는 정도는 1일 이내, 이후 식이 진행은 수술 후 1-2일 이내에 시행하며 장 절제술을 시행하였거나 유착이 심한 경우에는 금식 기간이 길어질 수 있습니다. 금식기간 중에는 수액을 통한 정맥 영양을 시행합니다.
4) 도뇨관은 수술 이후에도 유지하며, 일반적으로 수술 중 방광 손상 등이 없었다면 수술 다음 날 제거할 수 있지만, 필요에 따라 좀 더 유지할 수 있습니다.
5) 출혈을 관찰하기 위해 배액관을 설치한 경우에는, 배액량이 많지 않다고 판단하면 제거합니다.
6) 수술 후 퇴원은 환자 상태에 따라 차이가 있으나 대개 1-2주 이내에 하게 됩니다. 수술 후 보조 치료를 시행해야 하는 경우나 조직병리검사 결과를 확인하고 퇴원해야 하는 경우에는 퇴원 일정이 변경될 수도 있습니다.
7) 식사는 일반적인 가정식을 드시면 됩니다. 수술 후엔 소화가 잘되지 않고 더부룩하고 변비 또는 설사, 복부 팽만 등이 발생하기 쉬우므로, 충분한 수분 섭취 및 섬유질이 풍부하고 소화가 잘되는 음식을 소량씩 자주 드십시오.
8) 수술 후 약 6주간은 골반 내 압력이 많이 올라갈 수 있는 활동이나 운동은 피해야 합니다. 그리고 충분한 휴식을 통해 전신상태를 회복하면서 일상생활로 복귀해야 합니다.
9) 가벼운 샤워는 수술 봉합 부위 실밥을 제거 후 시행할 수 있고, 그 전까지는 물수건 등으로 수술 상처 부위를 피해 몸을 닦도록 하십시오. 통 목욕은 4-6주 동안은 피하도록 하고 부부관계는 약 6-8주 이후부터 하십시오.
10) 질 분비물은 수술 후 약 3-4주 동안은 피와 고름이 섞인 형태로 나올 수 있습니다. 만약 패드를 흠뻑 적실 정도로 출혈량이 많거나 투명한 물이 다량 흘러나오는 경우나 악취나 통증이 심한 경우에는 외래로 내원하십시오.
11) 퇴원 후 다음과 같은 증상들이 발생 시에는 검사 혹은 입원치료가 필요할 수 있으므로 재내원하기 바랍니다: ① 수술 부위의 부종, 발적, 분비물 발생 및 통증의 악화, ② 38도 이상의 고열, ③ 지속되거나 악화되는 적색 또는 선홍색의 질출혈, ④ 퇴원 시 보다 더 악화되는 복부통증

14. 기타 동의 사항(체크표시)

☐ 마취 동의: 별도의 동의서 이용

☐ 수혈 동의: 별도의 동의서 이용

☐ 수술부위 표식 동의

안전한 수술을 위한 부위 표식에 대한 설명을 들었으며, 이에 동의합니다.

☐ 동결절편검사 및 병리조직검사 시행 동의

수술 중 암세포 확인을 위해 동결절편검사를 시행할 수 있습니다. 동결절편검사의 결과는 수술 후 시행되는 조직검사 결과에 따라서 변경될 수 있습니다. 수술 병리조직 검체의 정확한 진단을 위하여 특수염색, 면역조직화학검사, 분자병리검사 및 전자현미경검사 등 추가적 검사가 필요할 수 있음을 설명 들었으며, 정확한 진단을 위해 시행한 추가 검사비의 수납이 부득이한 경우 퇴원 이후에 이루어질 수 있음을 이해하였습니다. 이러한 제반 병리조직 검사비 지불에 동의합니다.

☐ 특수검사 시행 가능성 동의

수술 후 정확한 진단을 위하여 추가로 특수 검사를 시행할 수 있으며 이 경우 추가 비용을 청구할 수 있습니다.

☐ 인체 유래물 연구 동의: 별도의 동의서 이용

☐ 기타

① 의사의 상세한 설명은 추가 서식(별지)을 이용하여 작성할 수 있습니다.

② 환자(또는 대리인)는 이 동의서 또는 추가 작성 서식 사본에 대한 교부를 요청할 수 있으며, 지체 없이 교부 할 것입니다. 단, 동의서 또는 추가 작성 서식 사본 교부 시 비용을 청구할 수 있습니다.

③ 동의서는 본인의 서명이나 날인으로 유효하나, 본인이 서명하기 어려운 신체적, 정신적 장애가 있거나 미성년자일 경우에는 사유를 명시하여 보호자 또는 대리인이 이를 대신합니다.

15. 기타 특이사항

16. 나는 다음의 사항을 확인하고 동의합니다. (체크)

나(또는 환자)는 나 스스로의 의지에 의해 수술에 관한 설명을 충분히 들었음을 확인합니다.	☐
나(또는 환자)는 수술의 목적 · 효과 · 과정 · 예상되는 합병증 · 후유증 등에 대한 설명(필요 시 별지 포함)을 의사로부터 들었음을 확인합니다.	☐
이 수술로서 불가항력적으로 야기될 수 있는 합병증 또는 환자의 특이 체질로 예상치 못한 사고가 생길 수 있다는 점을 위의 설명으로 이해했음을 확인합니다.	☐
이 수술에 협력하고, 이 동의서의 '3. 환자의 현재 상태'에 대해 성실하게 고지할 것을 서약하며, 이에 따른 의학적 처리를 주치의의 판단에 위임하여 이 수술을 하는 데에 동의합니다.	☐
수술 방법의 변경 또는 수술 범위의 추가 가능성에 대한 설명을 이 수술의 시행 전에 의사로부터 들었음을 확인합니다.	☐
주치의(집도의)의 변경 가능성과 사유에 대한 설명을 이 수술의 시행 전에 의사로부터 들었음을 확인합니다.	☐
나(보호자)는 이 수술에 협력하고, 이 동의서의 항목에 대해 성실하게 고지할 것을 서약합니다.	☐
의학 교육을 위해 집도의 지도감독하에 학생의사(의과대학생)의 수술참관(참여)에 동의합니다.	☐

년 월 일

환자명: (서명 또는 날인)
주민등록상의 생년월일:
주소:
휴대전화:

대리인(환자의): (서명 또는 날인)
주민등록상의 생년월일:
주소:
휴대전화:

* 대리인이 서명하게 된 사유

☐ 환자의 신체적·정신적 장애로 인하여 약정 내용에 대하여 이해하지 못함

☐ 미성년자로서 약정 내용에 대하여 이해하지 못함

☐ 설명하는 것이 환자의 심신에 중대한 나쁜 영향을 미칠 것이 명백함

☐ 환자 본인이 승낙에 관한 권한을 특정인에게 위임함

(이 경우 별도의 위임계약서를 본 동의서에 첨부하여야 합니다)

☐ 기타: ______________________

수술 상담자(의사)	
이름:	(서명)

자궁경부암 수술동의서

다음은 환자의 수술에 필요한 동의서입니다. 수술에 대하여 설명을 들으시고 궁금한 점에 대하여는 설명하는 의료진에게 반드시 문의하시고 이하 양식을 작성하여 주십시오.

1. 환자 기본 정보

등록번호		성명	
생년월일		나이/성별	

2. 수술 정보

진단명		
수술명		
수술방법	☐개복 ☐복강경 ☐로봇	
수술범위	자궁절제술: ☐A형 ☐B형 ☐C형 ☐자궁경부 원추절제술 ☐광범위 자궁경부절제술 난소: ☐절제 ☐보존 ☐난소전위술 림프절절제: ☐시행 안 함 ☐감시림프절 ☐골반 림프절 ☐대동맥주위 림프절 ☐기타 ( )	
참여의료진	집도의:	전문진료과목: 산부인과/부인종양
시행예정일	년 월 일	

3. 환자의 현재 상태

과거 병력(질병 · 상해전력)	☐유 ☐무 ☐미상	알레르기	☐유 ☐무 ☐미상
특이체질	☐유 ☐무 ☐미상	당뇨병	☐유 ☐무 ☐미상
고 · 저혈압	☐유 ☐무 ☐미상	마약사고	☐유 ☐무 ☐미상
복용약물	☐유 ☐무 ☐미상	기도이상	☐유 ☐무 ☐미상
흡연여부	☐유 ☐무 ☐미상	출혈소인	☐유 ☐무 ☐미상
심장질환(심근경색 등)	☐유 ☐무 ☐미상	호흡기질환(기침 · 가래 등)	☐유 ☐무 ☐미상
신장질환(부종 등)	☐유 ☐무 ☐미상	기타	☐유 ☐무 ☐미상

4. 수술의 목적 및 효과

수술을 통해 원발 병소를 제거하고 전이 위험성이 있는 자궁주변조직과 림프절 등을 절제합니다. 제거된 조직에 대해 병리 검사를 시행하여 병변의 크기, 주변 조직의 침범 여부, 림프절 침범 여부 등을 파악합니다. 이는 예후 예측에 중요하며, 이를 통해 수술 후 추가 치료를 계획합니다. 또한, 수술 후 얻어진 조직 검체를 이용하여 유전자 변이 검사를 포함한 생물학적 표지자 검사를 시행함으로써 좀 더 세분화된 개인별 맞춤 치료 계획을 세우고 예후를 향상시키는 데 도움을 주고 있습니다.

5. 수술의 위험 요소

환자의 나이가 70세 이상, 수술 시간이 길어진 경우, 수술 범위가 큰 경우, 환자의 전신 활동이 제한적인 경우, 영양 상태가 불량한 경우, 만성질환(고혈압, 당뇨, 면역질환 등)이 있는 경우는 수술 이후에 회복이 늦어질 수 있으며, 장기간 중환자실 치료가 필요할 수 있습니다.

6. 대체 치료방법

자궁경부암의 치료는 크게 외과적 절제술과 방사선치료가 있습니다. 초기 자궁경부암에서 상기 두 가지 치료방법은 비슷한 효과를 보입니다. 방사선치료는 수술적 치료에 비해 장과 비뇨기계의 섬유화 및 협착, 질 건조증, 장과 방광의 염증을 초래할 수 있으며, 난소의 기능저하가 발생할 수 있습니다. 그러나, 수술 후에도 재발의 위험이 높은 경우에는 추가적으로 방사선치료가 시행될 수 있기 때문에 종양의 크기, 조직학적 유형 및 림프절 전이 정도를 고려하여 초기 자궁경부암이라도 수술 대신에 방사선치료를 선택할 수 있습니다. 일반적으로 내과적으로 건강한 환자분은 방사선치료를 시행할 때, 치료 효과를 높이기 위해 항암화학요법을 같이 시행합니다.

7. 수술을 하지 않을 경우 발생할 위험

치료를 하지 않을 경우 암세포의 직접적인 침범 또는 림프 및 혈액을 통한 전이 과정을 거쳐 진행성 자궁경부암이 되어 통증 및 부종 등으로 삶의 질이 떨어지고, 궁극적으로 다발성 장기 부전으로 사망하게 됩니다.

8. 수술방법 및 변경 가능성

☐ 개복 수술
☐ 복강경 수술
☐ 로봇 수술

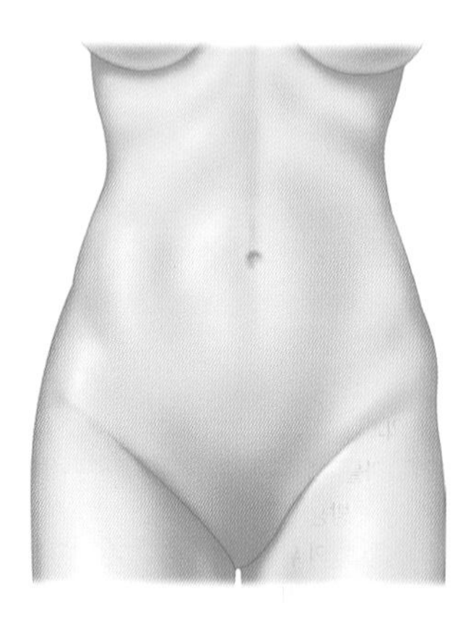

자궁경부암 수술은 수술 전 검사 소견과 환자의 내과적 상태와 과거력을 고려하여 개복, 복강경 혹은 로봇 수술 중에서 시행합니다. 개복 수술에 비하여 복강경이나 로봇 수술은 상처 부위가 작고 출혈이 적으며 회복 속도가 빠르다는 장점이 있습니다. 최근 자궁경부암 환자의 수술방법에 대한 전향적 국제임상연구에서 복강경이나 로봇을 이용한 수술이 개복 수술에 비해 짧은 무병생존기간 및 생존기간을 보였습니다. 이에 대한부인종양학회를 비롯한 국내외 관련 학회에서는 여러 연구를 종합하여 종양의 크기와 수술기법의 발전을 고려해서 종양학적 안정성을 확보할 수 있는 환자에서 숙련된 부인암 전문의가 시행할 경우 환자와 주치의가 수술방법의 장단점을 충분히 논의한 후에 복강경이나 로봇 수술을 시행할 수 있다고 하였습니다.

개복 수술의 경우 일반적으로 치골 상부부터 배꼽 부위까지 세로 절개를 시행하나 병변의 진행 상태나 비만도에 따라 절개 범위가 상복부까지 확장될 수 있습니다. 복강경 및 로봇 수술의 경우는 일반적으로 배꼽 또는 배꼽 상방 및 하복부에 투관침 삽입을 통하여 수술을 하게 됩니다. 투관침의 위치나 삽입 개수는 수술 범위에 따라 변경될 수 있습니다. 복강경 또는 로봇 수술 중인 경우라도 진행성 병기가 의심되거나 다른 부인과 질환이 동반된 경우, 과거 수술력에 따른 복강 유착이 의심되는 경우처럼 병변을 안전하고 완벽하게 제거하는 것이 어렵다고 판단되는 경우에는 개복 수술로 변경될 수 있습니다.

9. 수술 범위

일반적으로 자궁경부암의 수술은 자궁경부의 종양 크기에 따라 A형 자궁절제술부터 C형 자궁절제술까지 다양한 범위의 자궁절제술과 골반 및 대동맥주위 림프절절제술을 포함합니다. A형 자궁절제술은 자궁주변조직 절제를 줄이고 질 상부도 1 cm 미만으로 절제합니다. B형 자궁절제술은 자궁 외에도 바깥쪽 요관 터널 위치까지의 자궁주변조직과 질 상부를 1 cm 이상 절제합니다. C형 자궁절제술은 요관을 박리하여 광범위한 자궁주변조직과 질 상부 2 cm 이상을 절제합니다.

또한, 임신을 원하는 경우에는 재발과 부작용에 대해 충분한 논의 후에 종양의 크기에 따라 자궁절제술 대신 자궁경부 원추절제술이나 광범위 자궁경부절제술을 시행할 수 있습니다.

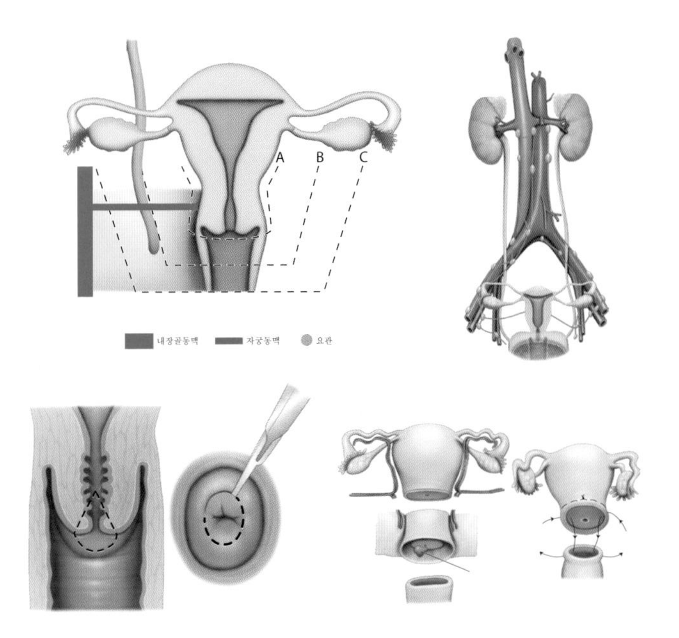

소화기계나 비뇨기계 등의 장기에 종양 전이가 있거나 수술 중 손상이 발생한 경우에는 외과, 비뇨의학과 등 타 진료과와 수술 협진을 시행하며 수술범위가 추가될 수 있습니다. 이 경우, 수술의 추가 시행 전에 대리인에게 설명하고 동의를 받을 것입니다. 그러나, 수술 중 환자의 상태에 따라 미리 설명하고 동의를 얻을 수 없을 정도로 긴급하게 수술방법 및 범위의 변경이 요구되는 경우에는 수술을 시행한 후에 지체 없이 변경 사유 및 시행결과를 환자 또는 대리인에게 설명하겠습니다.

10. 수술 추정 소요시간

수술 시간은 수술 범위, 수술실 내 추가 검사, 환자 상태(복강 내 유착, 혈관의 발달 등)에 따라 차이가 있으나 일반적으로 피부 절개에서 봉합까지 약 3-6시간 정도가 소요됩니다. 수술을 위한 준비과정과 수술 종료 후 회복실에서의 안정 시간까지 고려한다면 병실로 다시 돌아가기까지는 약 6시간 이상이 소요됩니다. 수술 전 예상과 달리 병의 진행 정도가 심하거나 추가 수술을 시행한 경우에는 수술 시간이 예상보다 길어질 수 있으며, 이런 경우 수술 소요시간을 정확하게 추정하기 어려울 수 있습니다.

11. 주치의(집도의) 변경 가능성

수술 과정에서 환자의 상태 또는 의료기관의 사정(응급환자 진료, 주치의(집도의)의 질병, 출산 등 일신상의 사유, 기타 변경 사유:)에 따라 부득이하게 주치의(집도의)가 변경될 수 있습니다. 이 경우에는 수술 시행 전에 환자 또는 대리인에게 변경 사유를 설명하고 서면동의를 받을 것입니다.

그러나, 수술의 시행 도중에 환자의 상태에 따라 미리 설명하고 동의를 얻을 수 없을 정도로 긴급한 집도의의 변경이 요구되는 경우에는 수술의 시행 후에 지체 없이 집도의의 변경 사유 및 수술의 시행결과를 환자 또는 대리인에게 설명하겠습니다.

12. 수술에 따른 발생 가능한 합병증 및 대처방법

1) 주변 장기 손상

유착이 심하거나 병변이 주변 장기(방광, 요관, 요도, 대장, 소장 등)와 인접한 경우 손상이 발생할 수 있으며, 해당 전문과(외과, 비뇨의학과 등)의 수술 및 치료가 필요할 수 있습니다. 이때 필요에 따라 인공항문(장루), 인공방광(요루)를 만들 수 있습니다.

2) 출혈

수술 중 발생하는 출혈 정도에 따라 수혈을 할 수 있습니다. 큰 혈관의 손상이 발생한 경우 평균 출혈량보다 많은 대량 출혈이 발생할 수 있고, 손상 정도에 따라 전문과(혈관외과, 흉부외과 등)의 수술 및 치료가 요구될 수 있습니다.

3) 수술 후 출혈, 혈종에 의한 재수술 가능성

출혈이 발생하였을 경우 수혈, 지혈제 사용, 동맥 색전술 등 보존적 요법으로 치료를 시도하지만, 치료에 반응하지 않거나 생체 징후가 불안정할 때는 지혈을 위해 재수술을 할 수 있습니다.

4) 운동 및 감각 기능 저하

장시간 특정 자세로 수술을 받기 때문에 압박으로 인한 상완신경총, 좌골신경 그리고 종아리 신경에 신경병증이 발생하여 상지와 하지의 감각 및 운동기능 저하가 발생할 수 있습니다. 또한, 병변이 크거나 전이가 있어 신경 조직과 유착이 생기거나 직접 침범을 한 경우에 종양의 절제 과정 중 불가피하게 손상이 발생할 수 있습니다. 대부분은 일시적으로 발생하여 자연 회복되지만, 간혹 수개월 이상의 약물 및 재활 치료가 필요할 수 있습니다. 심한 경우 회복되지 않고 영구적 후유증으로 남는 경우도 발생할 수 있습니다.

5) 수술 부위 통증

수술 부위의 통증은 수술 후 2-3일간 심하고, 이후 대개 완화되며, 진통제나 자가통증조절장치 등을 사용해서 조절하게 됩니다.

6) 혈전색전증

혈전 등에 의한 색전증이 폐, 뇌, 심장, 혹은 하지 등에 발생할 수 있습니다. 경미한 경우에는 하지부종 및 통증, 호흡곤란 등의 증상이 발생하지만, 심한 경우에는 반신불수 혹은 심장마비로 사망할 수 있습니다. 수술 후 색전증의 위험이 높은 환자에서 수술 전후에 항혈전제를 사용하거나 하체에 탄력 스타킹을 착용하여 색전증의 위험을 감소시키고 있습니다.

7) 하지부종 및 림프낭종

림프절절제로 인한 하지부종이나 림프낭종이 발생할 수 있고 하지부종은 통증을 동반하기도 하며 증상의 개선이 없이 영구적으로 지속될 수 있습니다. 또한, 대동맥주위 림프절절제술 후에 림프액의 복강 내 누출이 발생할 수 있습니다. 이때 소장을 통해 흡수된 지방 성분이 함께 누출될 수 있으며, 이로 인한 복막염이 발생할 수 있습니다. 이는 일정 기간의 금식 또는 저지방 식이로 회복을 기대할 수 있습니다. 림프낭종은 충분한 시간이 지나면 재흡수가 되나, 그렇지 못한 경우에는 배액관을 설치하여 제거하거나 외과적 처치를 할 수도 있습니다. 절제 범위가 커질수록 정도가 심해질 수 있고 재발도 가능합니다.

8) 배뇨장애

수술 후 방광기능 저하가 발생할 수 있습니다. 이런 경우에는 도뇨와 약물요법으로 치료하며 일부에서는 수개월 지속되거나 영구적일 수 있습니다.

9) 장폐색

수술 후 유착과 장운동 저하로 인하여 장폐색이 발생할 수 있습니다. 금식 또는 비위관 삽입으로 증상 완화를 기대할 수 있으나, 심한 경우 장의 일부분을 절제하는 수술을 시행할 수 있습니다.

10) 수술 창상 감염

수술 부위의 감염이 발생할 수 있으며, 이로 인하여 수술 부위 파열 및 탈장이 동반될 수 있습니다. 파열 부위의 소독 후 재봉합을 통해 특별한 후유증 없이 회복되지만, 이로 인하여 입원기간이 연장될 수 있습니다.

11) 기타 감염

수술 후 감염(요로감염, 폐렴, 정맥염 등) 발생 시 입원치료 기간이 연장될 수 있으며, 복강 내 염증이 발생한 경우에는 재수술이 필요할 수 있습니다. 적절한 예방적 항생제를 통하여 발생 위험을 줄이고 있습니다.

12) 주변 장기와의 누공

수술의 범위가 커지면서 주변 장기와의 경계가 얇아지고 이로 인하여 직장-질 또는 방광-질 누공이 발생할 수 있으며, 수술 후 방사선 치료를 받은 환자에서 위험성이 증가합니다. 이럴 경우, 대변이나 소변이 질을 통해 배출될 수 있으며 추가 수술이 필요할 수 있습니다.

13) 장시간 수술에 따른 합병증

장시간 수술로 인하여 수술 후 급성 신장기능저하, 무기폐, 폐렴, 심근허혈, 혈압 저하 등이 발생할 수 있으며 적절한 지지 요법을 시행하여 발생을 줄이고 있습니다. 증상이 심하거나 회복이 늦어지는 경우에는 인공호흡기 사용 및 중환자실 치료를 시행하며, 심할 경우 사망에 이를 수도 있습니다.

13. 수술 후 주의사항

1) 수술 후 발생할 수 있는 무기폐 및 발열의 예방을 위해 기침 및 심호흡을 많이 하십시오.
2) 수술 후 조기 보행을 하셔야 복강 내 유착, 혈전색전증, 장폐색 등의 합병증 발생을 줄일 수 있습니다.
3) 식사는 가스가 나온 후 실시하거나 수술 후 2-3일 부터 시행하며, 장 절제술을 시행하였거나 유착이 심한 경우에는 금식 기간이 길어질 수 있습니다. 식사가 시작되기 전까지는 정맥을 통하여 수액과 영양이 공급됩니다.
4) 도뇨관은 수술 범위와 배뇨 기능 회복 정도에 따라 수 일에서 수 주일 안에 제거하며, 지연되는 경우에는 자가도뇨방법을 배운 후 퇴원하기도 합니다. 또한, 자가 배뇨에 도움이 되는 약물을 복용할 수 있습니다.
5) 수술하고 나오면 복부의 측면으로 복강의 출혈을 관찰하기 위한 배액관이 연결되어 있는 것을 볼 수 있습니다. 배액관은 배액의 색깔 및 양을 보고 제거 여부를 결정합니다.
6) 수술 후 퇴원은 환자분의 상태에 따라 1-2주 사이에 이루어지게 됩니다. 조직검사(7-10일 정도 소요)의 결과에 따라 추가적인 수술이나 검사 및 항암치료(방사선치료 및 항암화학요법)이 필요할 수 있습니다.
7) 식사는 일반적인 가정식을 드시면 됩니다. 수술 후엔 소화가 잘되지 않고 더부룩하고 변비 또는 설사, 복부 팽만 등이 있기 쉬우므로, 충분한 수분 섭취 및 섬유질이 풍부하고 소화가 잘되는 음식으로 소량씩 자주 드십시오.
8) 실밥을 제거하고 퇴원하시는 분은 바로 가벼운 샤워가 가능하지만, 자궁절제 후 질을 봉합한 부위에 감염이 될 수 있으므로 통 목욕은 4-6주 정도 금하는 것이 좋습니다.
9) 수술 후 산책 같은 가벼운 운동은 전신적인 회복에 도움을 줄 수 있습니다. 초기 빈혈과 현기증 증상에 주의하며, 낮은 단계(침상 내 운동 등)부터 보호자와 함께 시행하십시오. 무리한 운동이나 부부관계는 6-8주 이후에 하는 것이 좋습니다.
10) 질 분비물은 수술 후 약 3-4주간 피와 고름이 섞인 형태로 나올 수 있습니다. 만약 패드를 흠뻑 적실 정도로 출혈량이 많거나 투명한 물이 다량 흘러나오는 경우, 악취나 통증이 심한 경우에는 외래로 내원하십시오.

11) 퇴원 후 다음과 같은 증상들이 발생 시에는 검사 혹은 입원치료가 필요할 수 있으므로 재내원하기 바랍니다: ① 수술 부위의 부종, 발적, 분비물 발생 및 통증의 악화, ② 38도 이상의 고열, ③ 지속되거나 악화되는 적색 또는 선홍색의 질출혈, ④ 퇴원 시 보다 더 악화되는 복부통증

14. 기타 동의 사항(체크표시)

☐ 마취 동의: 별도의 동의서 이용

☐ 수혈 동의: 별도의 동의서 이용

☐ 수술부위 표식 동의

안전한 수술을 위한 부위 표식에 대한 설명을 들었으며, 이에 동의합니다.

☐ 동결절편검사 및 병리조직검사 시행 동의

수술 중 암세포 확인을 위해 동결절편검사를 시행할 수 있습니다. 동결절편검사의 결과는 수술 후 시행되는 조직검사 결과에 따라서 변경될 수 있습니다. 수술 병리조직 검체의 정확한 진단을 위하여 특수염색, 면역조직화학검사, 분자병리검사 및 전자현미경검사 등 추가적 검사가 필요할 수 있음을 설명 들었으며, 정확한 진단을 위해 시행한 추가 검사비의 수납이 부득이한 경우 퇴원 이후에 이루어질 수 있음을 이해하였습니다. 이러한 제반 병리조직 검사비 지불에 동의합니다.

☐ 특수검사 시행 가능성 동의

수술 후 정확한 진단을 위하여 추가로 특수 검사를 시행할 수 있으며 이 경우 추가 비용을 청구할 수 있습니다.

☐ 인체유래물연구 동의: 별도의 동의서 이용

☐ 기타

① 의사의 상세한 설명은 추가 서식(별지)을 이용하여 작성할 수 있습니다.

② 환자(또는 대리인)는 이 동의서 또는 추가 작성 서식 사본에 대한 교부를 요청할 수 있으며, 지체 없이 교부 할 것입니다. 단, 동의서 또는 추가 작성 서식 사본 교부 시 비용을 청구할 수 있습니다.

③ 동의서는 본인의 서명이나 날인으로 유효하나, 본인이 서명하기 어려운 신체적, 정신적 장애가 있거나 미성년자일 경우에는 사유를 명시하여 보호자 또는 대리인이 이를 대신합니다.

15. 기타 특이사항

16. 나는 다음의 사항을 확인하고 동의합니다. (체크)

나(또는 환자)는 나 스스로의 의지에 의해 수술에 관한 설명을 충분히 들었음을 확인합니다.	☐
나(또는 환자)는 수술의 목적 · 효과 · 과정 · 예상되는 합병증 · 후유증 등에 대한 설명(필요 시 별지 포함)을 의사로부터 들었음을 확인합니다.	☐
이 수술로서 불가항력적으로 야기될 수 있는 합병증 또는 환자의 특이 체질로 예상치 못한 사고가 생길 수 있다는 점을 위의 설명으로 이해했음을 확인합니다.	☐
이 수술에 협력하고, 이 동의서의 '3. 환자의 현재 상태'에 대해 성실하게 고지할 것을 서약하며, 이에 따른 의학적 처리를 주치의의 판단에 위임하여 이 수술을 하는 데에 동의합니다.	☐
수술 방법의 변경 또는 수술 범위의 추가 가능성에 대한 설명을 이 수술의 시행 전에 의사로부터 들었음을 확인합니다.	☐
주치의(집도의)의 변경 가능성과 사유에 대한 설명을 이 수술의 시행 전에 의사로부터 들었음을 확인합니다.	☐
나(보호자)는 이 수술에 협력하고, 이 동의서의 항목에 대해 성실하게 고지할 것을 서약합니다.	☐
의학 교육을 위해 집도의 지도감독 하에 학생의사(의과대학생)의 수술참관(참여)에 동의합니다.	☐

년 월 일

환자명: (서명 또는 날인)
주민등록상의 생년월일:
주소:
휴대전화:

대리인(환자의): (서명 또는 날인)
주민등록상의 생년월일:
주소:
휴대전화:

* 대리인이 서명하게 된 사유

☐ 환자의 신체적·정신적 장애로 인하여 약정 내용에 대하여 이해하지 못함

☐ 미성년자로서 약정 내용에 대하여 이해하지 못함

☐ 설명하는 것이 환자의 심신에 중대한 나쁜 영향을 미칠 것이 명백함

☐ 환자 본인이 승낙에 관한 권한을 특정인에게 위임함

(이 경우 별도의 위임계약서를 본 동의서에 첨부하여야 합니다)

☐ 기타: ______________________________

수술 상담자(의사)	
이름:	(서명)